文史哲學集成

鄭樑生著

中日關係史研究論集（三）

文史哲出版社印行

著者簡介

鄭樑生，桃園縣楊梅鎮人。先後畢業於省立臺北師範學校、國立臺灣師範大學、日本國立東北大學，獲日本國立筑波大學文學博士學位。主修明史、日本史、中日韓關係史。曾任中小學教員、主任、圖書館編輯、研究所兼任教授。現任淡江大學歷史系教授兼系主任。著有《明史日本傳正補》（一九八一，臺北，文史哲出版社）《元明時代東傳日本的文獻》（一九八四，同上）《明代中日關係研究》（一九八五，同上。日文版由東京，雄石閣於同年刊行）《元明時代東傳日本的水墨畫》（一九八七，同上）《日本通史》（一九九三，臺北，明文書局）等三十餘冊，及學術論文百餘篇。

文史哲學集成 ㉗⑨

中日關係史研究論集（三）

著者：鄭樑生
出版者：文史哲出版社
登記證字號：行政院新聞局局版臺業字五三三七號
發行人：彭正雄
發行所：文史哲出版社
台北市羅斯福路一段七十二巷四號
郵撥〇五一二八八一二彭正雄帳戶
電話：三五一一〇二八
印刷者：文史哲出版社

實價新台幣三二〇元

中華民國八十二年二月初版

ISBN 957-547-196-2

序

本論文集乃裒集近來所完成中日關係史研究短篇而成者，集中各篇雖獨立寫成，各具主題，然皆著眼在中國文化對日本的影響這一層面上立論。和筆者已出版之兩本論文集的精神實相貫通。前三篇所作皆和日本五山禪僧有關，可作一體看；第四、五篇分別爲人物和典籍的介紹；第六篇則爲一有關元明時代中日關係史研究之報導性專篇。茲略述各篇之大旨如后：

首篇爲〈宋代理學之東傳及其發展〉作一概觀，叙述日本鎌倉時代五山文學興起時，亦同時開啓宋代理學在日本傳播的契機，經五山禪僧的耕耘，理學不但在德川時代取得正學之地位，也成爲日本哲學界的主流思想。其所以致此者，乃由於五山禪僧在宋代理學東傳後，其研究思考之方式給予前此墨守漢唐古注之博士之家帶來新觀念的衝激。若從更寬廣之視野觀之，此一理性思想之抬頭，使得日本儒教之倫理活動益發清新活潑，對打破讖緯思想，破除迷信實具重大貢獻。

〈日本五山禪僧對宋元理學的理解及其發展——以《大學》爲例〉一文，實爲深入探討理學東傳後，五山禪僧如何以其禪學心靈理解理學之精髓，其因緣固肇於宋元理學自身所謂「事理一致」，「體用一源」的說法有資於華嚴哲學事理無礙的法界觀，也就是理學本身已融入了佛教的哲學形式。五山禪僧在未辨宗趣的清況下，遂倡言儒佛不二、三教一致，而使得理學的傳佈順利開展。然東傳之初並非一帆風順，從批判「朱子非醇儒」到推崇「不以朱子爲宗，非學也」，其實有一漫長之演變歷程。本文即就禪僧們以其心得用於佈教的情形作一番考察，並舉《大學》爲例，用資說明。

《日本五山禪僧的中國史學研究》一文，乃纂述禪僧在受到環境之衝擊，既而有正視自身所屬法系及傳統之必要，乃不得不回顧佛教史，思藉史實作爲定位自身存在之依憑，於是乃重視佛教史的研究，舉凡有關僧史、僧傳或宗派圖皆加以探討。由此一關心而旁及於中國正史之閱讀，進而對史觀、史德及史識之深層認識，擴大了禪僧的學術視野。他們對中國史書雖有相當之研究與理解，但對其本國歷史的瞭解卻相當貧乏。故其有學富五車之令譽的虎關師鍊對中國歷史的知識固令於元代東渡的一山一寧佩服不已，然當被反問日本問題時，卻顯露其無知，這才深自反省而立志撰寫日本僧傳——《元亨釋書》。據此可知，日本禪僧熱衷於研讀中國史書之一端。

《日本漢學家狩野直喜及其《中國文學史》》一文，是介紹一生致力於中國文學研究而恨身不爲中國人的已故京都大學教授狩野直喜對中國文學史的研究貢獻。就時間上言，狩野氏之中國文學史課程之講授及講義實爲中國文學史研究之先聲，而其對中國文學史觀亦掌握住中國哲學主流的儒學家思想對中國文學影響的脈動，而以「儒」「雅」爲最高之標準，可謂深識中國文學三昧者矣！讀其著述亦從而可知其爲學之謹嚴、端正及其理性主義的文學觀，廣博之學術基礎與畢生從事教學不知老之將至的風範，實有足多慕者。

〈賴世和與《圓仁入唐求法記》〉一文爲介紹將圓仁《入唐求法巡禮行記》一書英譯的賴世和博士（E. O. Reischauer）及其譯本。《入唐求法巡禮行記》爲日僧圓仁留學唐朝在五台山求法之記事，此書在當時即成爲日僧紀行之典範，且文筆清雅不遜於大儒，其尺牘並有歐陽修、蘇東坡手簡風格。歷來爲日人所寶愛，並列入日本政府指定之國寶並加以出版。美國哈佛燕京社社長賴世和博士將此書英譯，並撰文研究，可謂將中日文化交流推廣至世界之有功學者，故特予介紹。

書後綰以〈元明時代中日關係史研究之過去與未來〉一文，係筆者累積有年對此一領域研究之認識與淺見，乃一報導性質之文章，僅提供予有志之士參考。

學術研究誠不易爲，歷史研究亦然。以上諸篇文字固不免有筆者主觀之看法，然而一旦出版，公諸大衆，就算是一步客觀化的歷程罷！尚祈海內外方家不吝賜教。

一九九三年歲次癸酉元旦**鄭樑生**識於淡江大學歷史學系

中日關係史研究論集㈢　目錄

宋代理學之東傳及其發展

一、前言

自從儒家經典之一的《論語》於晉武帝太康五年（應神天皇十五年，二八四），經由百濟官方東傳日本以後，我國經學在六世紀初已被日本作有系統的移植，①從而彼邦人士之閱讀漢籍者日多，研究儒家經典且成爲他們步入宦途之敲門磚。迄至其平安時代（七九四～一一八五），講授儒家經典者漸夥，其中菅原、大江兩氏竟各以儒學自成一家而其門下濟濟多士。然因漢唐學者致力於訓詁、解經義而非如春秋戰國時代學者之作哲學的思考，故日本此一時代的學者亦僅繼承其餘緒以言經書及諸子書，非僅無法將目光貫徹於書中文字之內涵，也無法將自己思想之泉源開拓於內界，致始終未能作哲學的考察。

在平安時代，以朝廷公卿爲中心的儒學研究雖曾造成一個高峰，但至鎌倉時代（一一八五～一三三三），卻因武士執政，公卿沒落，故原由公卿執牛耳的儒學逐漸式微、僵化。並且自鎌倉時代以後，復因其國內戰亂漸多，所以人多尙武輕文。尙武輕文的風潮當然難能蘊育哲學思想。尤其從元弘（一三三～一三三四）、建武（一三三四～一三三八）年間之十四世紀三十年代起，日本朝廷分裂成爲南北兩朝（一三三八～一三九二），彼此攻伐，致國內板蕩，民不聊生。及至室町幕府（一三三六～一五七三）第三任將軍足利義滿②調停南北兩朝之間的爭執，化干戈爲玉帛，方纔使日本復歸統一。惟至十五世紀六十年代，由於幕府將軍之繼任人選與諸侯家之繼嗣問題糾結在一起，使天下武士分爲東西兩大陣營而戰——應仁之亂③，而此一戰亂之後，全國又陷於爲時長達百年的戰國時代（一四六七～一五六七）。

室町幕府滅亡以後，織田信長④因得地利而打倒不少諸侯，使日本逐漸趨於統一，但他竟不幸爲其部將所弑——本能寺之變（一五八二），致壯志未酬身先死，由部將豐臣秀吉⑤繼承其志業，南征北討，終於統一全國。然秀吉卻在統一全國之後即發兵侵略朝鮮——萬曆朝鮮之役（壬辰之役，一五九二），親信之元氣因而大傷，秀吉本人也在戰爭結束之前病歿（一五九八），致給德川家康⑥以可乘之機。經關原之戰⑦，家康遂得於江戶（東京）建立幕府（一六〇三～一八六七）。因此，自鎌倉時代至家康建立幕府爲止的四百餘年之間，日本的儒學研究，除以五山禪僧爲中心的禪林文學一支獨秀外，其他文藝則鮮有足觀者。

當五山文學興起時，宋代理學亦開始在日本傳播。經五山禪僧的耕耘，理學在德川時代不僅已發達成爲幕府作其文教政策之根本的「正學」，更成爲當時日本哲學思想之主流。因此，本文擬對理學東傳日本以後，在彼邦發展之情形作一番考察。

二、日本禪林文學之興起

如衆所周知，禪宗標榜「教外別傳，不立文字」⑧，欲以禪定三昧之行來一超直入如來地，亦即舉轉迷開悟之實，以「直指人心，見性成佛」，而將五千四十餘卷之黃卷赤軸視如拭不淨故紙⑨。因此，僧拔隊得勝⑩認爲在庵中不可置俗典詩書一字一典，⑪而輕視內典以外有關外典的學問。拔隊以爲學解乃修道之障礙而實修勝於學解。所以禪僧們認爲禪既是純粹的實踐之宗教，也是直截的體驗之宗教，修禪者必需以禪定三昧之行來超越相對世界，打入所謂父母未生以前之世界，亦即將自千錘百鍊成爲主客未分以前之絕對世界，以臻於絕對本身之不二一如——見性成佛，然後在著衣、喫飯的日常行爲中能夠經常天眞流露此絕對（佛性）之境界。⑫他們的這種立場，無非是在排斥或將哲學的教理教相之研究，或所謂內典之學而將其視爲第二義或第三義者。職此之故，日僧夢窗疎石⑬雖將行與學解並重，且承認機關⑭與理致，卻也在其〈三會院遺誡〉言他有三等弟子曰：

> 我有三等弟子：所謂猛烈放下諸緣，專一窮明己事，是爲上等；修行不純，駁雜好學，謂之中等；自昧己靈光輝，嗜佛祖涎唾，此名下等。如其醉心於外書，立業於文筆者，此是剃頭俗人也，不足以作下等。

亦即夢窗認爲醉心於佛書以外之其他圖書之佛門弟子並非出家人，只是剃著光頭之俗家子弟，乃在上、中、下三等之外而不足掛齒。既然禪宗主張以禪定三昧之功，自肯自得，冷暖自知，則禪僧們便理應將其奉行不渝。但拔隊得勝、夢窗疎石等人卻都著有《遺誡》來告誡弟子，則當時禪林[15]之研究外典的風氣必仍然相當興盛，[16]否則他們也不必多此一舉了。

禪宗雖然標榜「教外別傳，不立文字」，但這並非表示它不使用文字，乃是說它不用所依之經典，不逐邏輯，以直觀臻於悟入之境界。故它不以文字作爲推演其邏輯之手段。因禪宗乃最中國化之佛教宗派，而中國又非常重視以文字來表達己意，所以社會的一般傾向便自然影響及於禪林。當官僚貴族與禪僧們的交往趨於密切時，他們彼此之間自難免以詩文創作爲其社交之手段。而禪僧們也爲悟入而彼此之間盛行問答，且欲在與人接觸之間以舉轉迷開悟之寶，且在悟入過程中引發詩的情結，從而產生所謂禪林文學。如唐末永嘉玄覺[17]之《證道歌》，三祖僧璨[18]之《信心銘》，石頭希遷[19]之《參同契》，洞山良价[20]之《寶鏡三昧》等即是好例。[21]

禪宗在中唐以前似尚未與官僚貴族有較多往來，然當以某種理由與被貶的官吏或隱逸之士對禪宗發生興趣而皈依此一宗派後，禪林便與那些官吏逐漸建立關係而彼此之間便有較密切的往來。官僚貴族或一般社會人士之子弟，他們爲步入宦途而參加科舉，其中舉者雖可在官場施展生平抱負，但不幸落敗者間亦有因失意而遁入佛門爲禪僧的，如元代的晦機元照[22]，或遠渡重洋至日本佈教的竺仙梵僊[23]等人是。當那些在科場失意的學子皈依佛門時，可能也將自己平日所學之文體應用於佛門。影響所及，終於成爲禪林文學之一種而世俗化。[24]

迄至南宋末，由於禪林文學過於世俗化，所以便有人對此一事實加以反省，故從元末起，以古林清茂㉕爲中心的松源派㉖禪僧便展開所謂偈頌㉗主義運動。此一運動乃沿用世俗人士所用詩文之體裁，題材則侷限於佛教領域，亦即以吐露禪僧在其修行過程中所誘發之詩情爲其宗旨。結果，其作品便以古則公案，經典佛像，祖師像來作爲命題中心，並且也作出許多以生離死別爲題材，或慶祝朋友之榮陞之類的篇什，此即爲此一時代所謂之「偈頌」。

禪宗雖在南宋時代由日僧明庵榮西㉘東傳日域，其後復有華僧一山一寧㉙、蘭溪道隆㉚、無學祖元㉛、兀庵普寧㉜、無準師範㉝等名衲先後渡日宏揚禪旨，但對日本禪林文學有深厚影響的，除一山一寧外，大都是在十三世紀末至十四世紀東渡的清拙正澄㉞、明極楚俊㉟、竺仙梵僊等曾經接受偈頌主義運動之洗禮者，亦即欲於佛教領域推動文藝活動之一派僧侶。其中竺仙梵僊曾經接受古林清茂之薰陶。而其同樣曾在古林門下參禪的日僧石室善玖㊱、龍山德見㊲、不聞契聞㊳、別源圓旨㊴、中巖圓月㊵、寂室元光㊶等人則共同組織一個「友社」，以從事偈頌之創作活動。而這種活動，便成爲日本五山文學之胚胎。㊷

五山文學的代表作家有義堂周信㊸、絕海中津等，他們被譽爲五山文學之雙璧。他們均曾受過上述偈頌製作之薰陶，而尤以義堂所受影響爲深。絕海曾於明初來華，在南京奉天殿覲見明太祖，且以日本熊野之徐福祠爲題，獲賜唱和之殊榮。他們酬唱之詩被收錄於日人伊藤松所輯《鄰交徵書》初篇〈詩文部〉。㊹絕海在華期間，曾從季潭宗泐㊺學疏法與駢文作法。其詩文集《蕉堅稿》之〈序〉與

〈跋〉，分別由僧錄司左善世獨菴道衍㊻與杭州中天竺寺之如蘭㊼所撰，其作品頗具中國風格。絕海的門流，主要以京都建仁寺爲中心傳衍下去，他們擅長駢文而富於詩的技巧。義堂的門流則大體以京都相國寺爲中心，作風平明而工於散文。此一事實對日後彼邦禪林文學之發展，自然產生很大的影響。

三、禪僧之三教一致論

如據日本學者的研究，宋代理學係由京都泉涌寺僧不可棄俊芿㊽東傳扶桑，其所持理由爲俊芿曾於南宋寧宗慶元五年（建久十年，一一九九）浮海遊宋。明年，至浙江四明。他嗣北峰之法，頗受華夏士庶之尊崇。在華十二年，於寧宗嘉定四年（建曆元年，一二〇九）東返之際，曾經帶回律宗經典三百二十七卷，天臺章疏七百十六卷，華嚴章疏一百七十五卷，儒書二百五十六卷，雜書四百六十三卷，而該年又是朱熹門人劉爚刊行《四書》之時。又，俊芿弟子釋信瑞所編《泉涌寺不可棄法師傳》記載：俊芿在華期間與中土人士交往之情形，亦即他在南宋首都臨安時曾受史彌遠、錢象祖、樓昉、楊中良諸儒之尊崇，且與北磵居簡㊾及葛無懷、樓鑰等名僧、碩儒交往而此僧儒名流們無不稱揚其學德，而樓鑰之理學又淵源於程氏㊿之事實，認爲俊芿必受他們之影響，而他所帶回的儒書中一定有朱熹之《四書集註》。並且又舉《泉涌寺不可棄法師傳》所紀：

法師上洛（京都）後，與左府（左大臣德大寺公嗣）面晤時，左府欣狎曰：幸今遇師，庶勿攸急。法師哂然諾。自是厥後，筆精之義，宋朝之談，日新月故，亹亹不怠。《五經》、《三史》

> 奥粹，本朝未談之義，法師甫陳。左府聞之，無不歎異。

以爲《傳》中所提「《五經》、《三史》奥粹，本朝未談之義」，就是宋儒新註之學——理學。

理學東傳日本以後，使此一新傳學術趨於成長、茁壯者既非當時執漢學之牛耳的公卿社會之博士家的學者們，也不是不可棄俊芿的傳承者，乃是出身五山的禪僧們。早在禪宗東傳日域之前，中國士大夫已多喜愛禪宗而且與禪僧交往，此事可由曉瑩法師[51]之《卧雲紀談》、《羅湖野錄》，方匀之《泊宅編》，曾敏行之《獨醒雜志》等北宋人之各種紀錄窺見其端倪。[52]因此，周濂溪、程明道、程伊川、張横渠、郡康節諸大儒之傾向於禪教而學禪，從而著手改革有唐以來枯淡的訓詁的儒教，實不足爲怪。就集理學之大成的朱晦菴而言，其師胡籍溪、劉屏山、劉泉、李延平等人皆曾修禪，而朱子本人亦在其《語類》中自言其曾學過禪。而他之曾向天目山之文禮禪師[53]問敬之義與理，且重視大慧禪師[54]之《語錄》，乃衆所周知之事實。朱晦菴在禪教中所得者爲心性之說。禪乃心性教，朱子所以認爲心之本體爲虛靈不昧而具衆理以應萬方事，以心爲萬事之本源，萬事之出發點，即是受禪之影響的結果。朱子又將《論語》之一，《大學》之明德，《中庸》之中釋爲心，且將《孟子》之性說及《六經》中言及心性之語以爲補證，從而樹立其學說。[55]禪則有大乘、小乘，而前者乃隨時隨處在無心之境的修養方式，後者則在一定處所，一定時間內，以一定方式來達到淡然無心之境界。而朱子學之居敬、靜坐即由此而來。靜坐乃坐禪之另一種方式，如有閒暇，則靜坐以整齊精神思慮，以爲應接事物之基礎。其與坐禪相異之處，在於不需一定的時間與地點，無類似喝棒等之制裁，不求斷絕思慮以臻無心之境。故居敬乃無時無地使心整齊安定而致之於敬的方法，此乃從大乘禪之隨時隨處之修養而來。[56]

無論朱子學也好，禪也好，無不以明心之本體爲主，故殊途而同歸。朱子學在於學問研究與修養心性同時進行，禪則不立文字，所以雖有修養之工夫，卻無學問研究。禪之修養以坐禪爲主，以心傳心，頓悟見性爲宗，朱子學則在致知格物、窮理、誠意，以明虛靈不昧之本體——心，亦即在於正心、誠意、盡性。因此，雖是坐禪，卻專以居敬爲宗，當其臻於研究修養之極，一旦豁然貫通，便與禪之見性相同。職此之故，禪是單刀直入的，朱子學則有秩序的，兩者歸趨相同而目的、立足點則迥異。亦即朱子學以有——世間爲其立足點，禪則以無——出世爲其立足點。前者智德不離，知行合一，修養已身，小而教化庶民，大而舉治國平天下之實，爲其目的，禪則無此目的。由此可知，朱子學乃取禪之心學予以儒化，以儒教之目的——修身、齊家、治國、平天下爲基礎，採取禪之修養法，使之有秩序，平易而無害。易言之，朱子學乃將禪之修養改良成爲儒教的，且賦予儒教之主要的知識研究，使之成爲實際的，符合世間所需求的。因此，禪與朱子學有不可分離的關係。

大家都知道，在南宋時曾有不少日僧來華習禪，且有不少華僧前往扶桑宏揚禪旨，此一事實對日本禪宗與理學之發展實有莫大影響。因爲當時中國禪僧之學儒者既多，在此一方面有卓越成就者亦不乏之人，如：了元佛印[57]、佛日契嵩[58]、闡提惟照[59]、參寥道潛[60]、大惠宗杲、別峰宗印[61]等，而尤以佛日契嵩爲著。佛日曾著《補教編》以倡儒、釋兩教一致。他平生尊崇《中庸》，著有《中庸解》，被收錄於其《鐔津文集》。其儒教觀以中庸爲重點，而他的這種思想洋溢於《補教編》中。

《中庸》以天賦人以性，予人類生生不息之機，順此機動力以演化，謂之道。故其首章謂：「天命之謂性，率性之謂道。」佛日易此段文字以叙自己見解曰：

心之謂道，闡道之謂教。教也者聖人之垂跡也；道也者衆人之大本也。㊷

由此觀之，佛日不僅對儒學有相當之瞭解，且能將它應用於宏揚禪教方面，則禪僧之接近儒學，對朱子學之興隆，自有其相當之貢獻。如前文所說，禪宗標榜不立文字，而以頓悟見性爲其宗旨，有修養而不從事學問研究，則由此產生之弊端便是無學自是，以至於狂禪自喜。與此相對的，朱子學則學問研究與修養同時並進而互不相離，故其態度公平而弊端亦少。所以隨此一學問之盛行而其勢力亦隨之增大。禪宗鑒於徒務修養而不作學問研究，則無法與之抗衡，且由於他們兩者之間靈犀相通，於是禪僧亦取其長而開始從事學問研究。其自朱晦菴以後至南宋末年從事儒學研究之主要禪僧有北磵居簡、癡絕道沖㊸、無準師範、晦機元照等人而以北磵、癡絕爲著。他們以爲朱子學之居敬窮理，窮理盡性，格致誠正，在禪門亦有。以爲儒家之窮理在禪家爲頓悟，儒家之盡性爲禪家之見性，因此認爲儒、佛不僅不相悖，而且一致。㊹北磵云：

大乘之書五部，咸在釋氏，所以破萬法者也。爲《詩》，爲《書》，爲《禮》，爲《易》，爲《春秋》，則聖人所以妙萬法者也。初以《般若》破妄顯眞，則《詩》之變風變俗也。次以《寶積》顯明中道，則《書》之立政立事也。次以《大集》破邪見而護正法，則《春秋》明褒貶，顯列聚，大中之道也。次以《涅槃》明德性，神德行，則《中庸》之極廣大而盡精微也。次以《華

> 嚴法界》圓融理事，則《易》之窮理盡性也。[65]

而認爲大乘之五部經典與儒家《五經》之旨意相契合，以言儒、釋兩教之一致。癡絕亦云：

> 儒者曰：君子深造之以道，欲其自得之也。自得之，則居之安；居之安，則資之深；資之深，則取之，左右逢其原，故君子欲自得之也。大凡欲明箇事，須有自得之妙。然得心未忘則不能居之安，居安之地不脱，不能資之深。果能忘其所得之心，脱去居安之地，不住資源之域，始能左右逢其原矣！左右逢原，則自得之妙，居安之地，資源之域，皆爲吾之妙用。[66]

此乃利用《孟子》〈離婁篇〉之言，以作禪的解釋，將左右逢原之境界視如頓悟見性，認爲道在於自得，而他亦認爲儒、佛無二致。鏡堂覺圓[67]亦云：

> 佛法世法，無異無別。進退卷舒，何少何欠。[68]

又云：

> 佛法世法，無黨無偏。孔子何曾識字，達磨誰云會禪。[69]

此言儒、佛二教俱以明性爲重點，虛靈不昧之心性爲中，故言無黨無偏，此乃由《中庸》之中，與禪之中道的一致而來[70]。竺仙梵僊亦曾云：

> 列聖興出，爲憫迷流失其本源不知所歸，爲之導引也。其流既衆，始百川競瀉，萬派爭奔，隨其波，逐其浪，流而忘返，滔滔者天下皆是也。孔子曰：逝者如斯夫，不舍晝夜。孔氏者其知歸乎？釋尊曰：一人發眞歸源，十方虛空，悉皆消殞，不妨截斷衆流，無乃陸地波濤沒溺平人

未有了。曰：然不犯清波，直下知歸，不用鑿崑崙，擘泰華，端四海，疏九河。但識浪休騰，情漚息起，自性天眞，廓然如本。是故諸聖出興，縱横逆順，皆欲導其歸於是也。故曰：方便有門，歸源無二姓。[71]

這段文字的要旨在於明心性，亦即言儒、釋兩敎在敎化上方式容或有異，其目的卻同爲回歸天賦之本源。

上舉者固爲華僧之言，但曾於元代留華十二年的釋雪村友梅[72]亦受華僧之影響而論儒、釋二敎之一致曰：

天下無二道，聖人無兩心。心也者，周乎萬物而不偏，卓乎三才而不倚，可謂大公之言，中正之道也。竺土大仙，證此心而成道，魯國先儒，言此道而修身，以至治國平天下[73]。

無文元選[74]則以佛敎之戒與儒敎之仁，來說儒、佛二敎之一致曰：

佛敎萬行，以戒爲始，戒則以敎爲本；儒敎萬行，以仁爲首，仁亦以孝爲本。是故曰：孝悌也者，其仁之本歟。儒、釋二敎，皆尊崇之，我豈不肯行耶？[75]

至於横川景三[76]，則以中道爲道德之根基以言儒、佛之相同曰：

〈洪範〉曰：皇建其有極。解者曰：皇，大也；極，中也。夫中也者，德之基也，德之終也，天下之大本也。子思之說中，中者散爲萬事，合爲一理，是也。程氏之論中，中者喜、怒、哀、樂未發，寂然不動，是也。堯、舜、湯、武，征遜雖異，而建其中則同矣！禹、稷、顏子，出處雖遠，而建其中則近矣！至若大而天、地、日、星，小而蟲、鳥、草、木，未有舍中而能達者也。然方外，內道無二揆，惟中是建。其我曹洞氏，有偏正五位之說：曰正中偏，曰偏正中，曰正中來，曰偏中至，曰兼中道，其位皆以中爲本。由是君君、臣臣、父父、子子。云云。㊆

由上述可知，禪宗雖然標榜不立文字，欲以禪定三昧之行來一超直入如來地，卻也爲排除其無學自是，狂禪自喜之缺點，乃取理學之長而注意學問研究，而認爲「天下無二道，聖人無兩心，若得聖人心，即是本源自性。」㊇

四、日本禪林對理學之理解

由於理學與禪之教理靈犀相通，而其作爲實修之居敬窮理與禪之打坐見性有一脈相通之處，故容易使禪僧理解而使其有親近感。因此，北礀居簡、癡絕道沖、無準師範等名衲無不言儒、釋不二，而倡三教一致㊈，持包容儒學之立場。而此一立場，遂成爲宋代禪林之風潮。此種風潮在理學東傳日本以後不久，因受東渡華僧與來華學禪之日僧們的影響，在日本禪林也造成研究理學之風氣。當時對日本理學之興隆有重大影響者，除上述諸僧外，尙有蘭溪道隆、大休正念㊉、無學祖元等人。蘭溪云：

蓋載發育，無出於天地，所以聖人以天地爲本，故曰聖希天。行三綱、五常，輔國弘化，賢者以聖德爲心，故曰賢希聖。正心誠意，去佞絕姦，英士踏賢人之蹤，故曰士希賢。乾坤之內，

> 宇宙之間，興教化，濟黎民，實在於人耳。雖尊貴，而未爲尊貴者；吾佛之教也。[81]

蘭溪所謂：「聖希天、賢希聖、士希賢」，乃周濂溪《通書》〈志學章〉之語，「正心誠意」爲《大學》之語，「蓋載發育」一詞則取自《中庸》，可見蘭溪不僅對朱晦菴之學有相當之研究，而且能將其運用於宏揚禪教方面。又云：

> 理天下大事，非剛大之氣不以當之，要明佛祖一大事因緣，須是剛大之氣始可承當。今尊官興教化，安社稷，息干戈，清海宇，莫不以此剛大之氣定千載之昇平。世間之法既能明徹，則出世間之法無二無異。[82]

蘭溪所謂「剛大之氣」，乃《孟子》所言「浩然之氣」[83]。他以爲如能養此剛大之氣，即可達到見性之境界。亦即他認爲無論用入世之儒教來修養心性，或從事出世之佛教修養，其結果並無不同。

大家都知道，人生在追求較高之人生境界。爲求較高之人生境界，則須先立乎其大者。三愆、三戒、三畏，學養以成人；爲士，爲大人，爲君子。至於交友之道，孔子又有三友與三樂。所謂三友：交正直者，己有過，可以聞而改之，爲友直；交誠實者，己有過，可得其諒解而無後患，爲友諒；交見識廣者，己之愚可得其教而明，爲友多聞；此「益者之三友」。反之，交邪辟者，將習以爲非而離道，爲友便辟；交諂媚者，但見其面而不得其心，爲友善柔；交好口才者，但見其利口而無內容，爲友便佞；此爲「損者之三友」[84]。所謂三樂，樂，即是好。禮樂爲人之文，其人好節之以禮，和之以樂，爲樂節禮樂；其人好揚人之美德，爲樂道人之善；其人好賢能，爲樂多賢友，即所謂益者。反之，如果好侈辟而不知節制，爲樂驕樂；好遊蕩而不羈，爲樂佚遊；好酒肉而無度，則爲樂宴樂，亦即所謂損者。(85)此固孔子教人交友之道，大休正念曾引此語以擇師友應注意之處云：

古不云乎，見賢思齊，見不賢而內自省也。蓋學者入衆參問，當求良師，擇賢友，可以資益自己，可以承辦道業。苟循習於庸鄙，日隨下流，久而忘返，所以道親近善友，如入芝蘭之室；親近惡友，如入鮑魚之肆，久久與之俱化矣！(86)

人能齊家，則可以治國。五倫，家得其三——父子、兄弟、夫婦。父慈子孝，宜兄宜弟，夫婦和合。推而廣之，慈者所以使衆，孝者所以事君，弟者所以事長。因此，大休即以孝悌忠信之道爲爲人之根本，只要守君臣、父子之義，兼修文武二道，即能功成名就。云：

從古將相本無種，男兒志氣當自持。親迎門師習學問，勿同年少相追隨。孝悌忠信爲根本，君臣父子分尊卑。武緯射御善韜略，文經禮樂勤書詩。欻爾一期功業就，煥然軒翥顯於時。(87)

亦即大休係利用儒家所重視之五倫來教化大家在日常生活中應遵循之禮節，能遵循此禮節，所做之事方能有成就。至於無學祖元則曾引用張橫渠之〈太虛說〉以證佛家旨意曰：

不隨聲色名利，死生恐怖，便隨六道輪迴，處處作用，處處出沒，處處遊戲。入火不燒，入水不溺。在方同方，在圓同圓，與太虛同一相貌，謂之圓覺道場。(88)

心有人心與道心，人心得其正爲道心，道心失其正爲人心。去私欲，即去過分之欲，是爲正心（意誠），即返於天理（明德之境）。所以人求達其至善之境，以修身爲本，其工夫爲正心。(89)因此，祖元即據此以教人應先正心曰：

道學先正心，正心可學道。[90]

此言當是從《大學》〈傳之七章〉所言：

所謂修身在正其心者：身有所忿懥，則不得其正；有所恐懼，則不得其正；有所好樂，則不得其正；有所憂患，則不得其正。

而來。

上舉三位華僧，不僅在佛學方面有很高深的修養，而且在理學方面也都有相當的造詣，所以在他們的教化之下，日域禪僧自然深受其影響而曾經出現過許多佛學、理學兼修之高僧。惟在理學東傳之初期，日本禪林並非完全沒有排斥它的，例如虎關師鍊[91]即曾批判朱晦菴說：

《晦菴語錄》云：釋氏只四十二章經，是他古書，其餘皆中國文士潤色成之，《維摩經》亦南北朝時作。朱氏當晚宋稱巨儒，故《語錄》中品藻百家，乖理者多矣！釋門尤甚。諸經文士潤色者，事是而理非也，蓋朱氏不學佛之過也。……又，《維摩經》南北朝時作者不學之過也。……朱氏不委佛教，妄加誣毀，不充一笑。又云：《傳燈錄》極陋，蓋朱氏之極陋者文詞耳，其理者非朱氏之可下喙處。凡書者其文雖陋，其理自見。朱氏只見文字不通義理而言，佛祖之妙旨爲極陋者，實可憐愍。……朱氏不辨，漫加品藻，百世之笑端乎。我又尤責朱氏之賣儒名而議吾焉。《大惠年譜》〈序〉云：朱氏赴舉入京，篋中只有《大惠語錄》一部，又無他書。故

> 知朱氏剿《大惠》機辨而助儒之體勢耳。……朱氏已宗妙喜，卻毀《傳燈》，何哉？因是言朱子非醇儒矣！92

而認爲朱熹並非醇儒。

就義堂周信而言，其對理學的態度則與虎關不同，他雖曾謂「駁雜好學者」爲中等弟子，但他本人卻曾研究孔、孟、老、莊之學，且認爲禪僧之研究儒學，不僅要將它作爲宏揚禪宗之手段，而且還須瞭解教門之設施乃至孔、孟、老、莊之教，與夫世俗之論。93所以當室町幕府將軍足利義滿欲讀《大學》而徵詢義堂之意見時，義堂鑒於《大學》爲《四書》之一，且是治世之書，94乃勸其學之。曰：

> 《大學》乃《四書》之一，唐人學《四書》者先讀《大學》。意者，治國家者，先明明德、正心、誠意、修身，是最緊要也。敢請殿下《四書》之學弗怠，則天下不待令而治矣！95

而認爲詩文對禪門有益。既然詩文對禪門有益，則日本禪林之於佛門之學以外，在詩文方面所下功夫必多，傾倒於理學者亦必不少，而對它有相當之理解。

大家都知道，天以性賦人，自然之性之內涵有欲與情，孟子言性則善。人生遇不足而生欲望，良知辨所是所非，良能動而行之。情欲作主則易流於惡，良知作主以馭情欲則一切皆善。與義堂同一時代的中巖圓月，便因孟子有性善，荀子有性惡說，而言人性有善惡，善爲正，惡爲邪，所以我們應節抑情，不使趨惡，以復靈明沖虛之本性，乃據程子之復性說與朱子之復初說言：

凡人之情欲，無窮於物而至暴惡，故聖人欲使節其情欲，而復其天性而已。於是制設戒，以使人能養其欲而不過度者也。故禮者，養也，戒禁也。味能養乎口，而禁其嗜者也。香能養乎鼻，而禁其臭者也。聲能養乎耳，而禁其淫哇者也。色能養乎目，而禁其冶容也。床塌、臥具、衣服、能養乎身，而禁其奢而不儉者也。仁、義、孝、弟、忠、信，能養乎身，而禁其情而不節也。[96]

仁爲人之對人，忠爲人對人之積極行爲，彼此之關係屬於相對待。恕則爲人對人之消極行爲，彼此關係亦屬相對待，爲己所不欲，勿施於人。對忠、恕兩字，景徐周麟[97]曾作如下解釋曰：

子程子曰：中心爲忠。夫子告參乎以一貫之道。參以忠、恕二字釋之。子程子曰：一是忠，貫是恕。一是心，貫是萬事，是乃儒家者之就心以論中字者也。[98]

此言乃將《論語集註》所見程、朱所釋之語敷衍而成。能忠能恕，則距道不遠；能推已及人，以己度人，則可以盡人之情。仁如集堯[99]則云：

子曰：參乎，吾道一以貫之。曾子曰：唯。門人問曰：何謂也？曾子曰：夫子之道，忠恕而已矣！解其義者，古今繁多也。……忠者本乎心，恕者推己及物，一貫之謂也。一是太極，貫是萬物，天地陰陽，四時五行，森羅萬象，不出忠恕二字也。儒道極則，賢傳授之妙理，在一貫之上。[100]

君子有諸己，而後求諸人，無諸己，而後非諸人。如果自己沒有推己及人的恕道，而欲別人信從你之所言，實不可能⑩。仁如在此所言者，也是根據程、朱之註解所爲之說法。南化玄興⑩更云：

如心之兩字者，恕之一字也。儒箋云：忠謂盡忠心；恕謂恃我於人。先哲雖弘道於牛棟之書，

夫子之道，忠恕而已矣！以一貫之道爲諱爲字者，豈無所以心乎哉！⑩

此乃南化根據《論語》「吾道一以貫之」之句，爲其俗家弟子稻葉典通取名諱如心，法號一以時所紀之言。他雖未必全取宋儒之說，卻可由此窺見其對理學之造詣及其心得之一端。

仁爲道之禮。孟子謂：仁之實，事親是也；義爲基於仁得宜之行爲。孟子又謂：義之實，從兄是也。子對父行仁爲孝，弟對兄守禮爲悌；此係爲人之本，本立而道生，所謂堯舜之道者，亦此孝悌而已。職此之故，東沼周曮⑩據《孟子》〈告子章〉之一節以言之曰：

夫堯舜之道，孝弟而已。夫堯舜之道，如天之無所不覆，如地之無所不載。……而孟軻稱之曰孝弟，何哉？蓋人道莫先乎孝弟，堯舜之所以堯舜，惟此而已。⑩

上文所舉者雖僅是極少部分的例子而難窺其全貌，卻可由此窺見日本禪林研究宋代理學所獲心得之端倪。至於日本禪林傾向於儒學之事實，則可由桃源瑞仙⑩於其《史記抄》〈儒林〉第六十一，稱美宋儒在學術上之功績，而且將《四書》、《五經》中有關宋學書之註釋書作有系統的介紹事獲得佐證。桃源在該〈儒林〉中云：

至宋朝，周茂叔，二程先生以下及晦菴，繼絕世，性學明，漢唐諸儒未發之妙，集而大成者也。於是朱夫子採先儒之注解，《易》有《本義》、《啓蒙》二書，《詩》有《集傳》，《春秋》有

《集註》。《尚書》則弟子蔡沈多述舊聞作《集傳》，本受先生之命述之也。二〈典〉、〈禹謨〉，蓋乃先生嘗訂正而手澤尚新云。《禮記》則陳澔作《集說》。陳澔之先君曾師事雙峰先生十有四年，所得於師門講論謨多。中罹煨燼，隻字不肖，乃獨自僭心自量，會萃衍繹，而附以臆見之言，名曰《禮記集說》。《周禮》則未可詳考。其後又集諸儒註解而有《六經》名《大全》云。

桃源在上文之後又云：

文公特抽《禮記》中之〈大學〉、〈中庸〉二篇，益以《論》、《孟》，謂之《四書》，以《大學》、《中庸》、《論語》、《孟子》爲其次第，作《四書集註》。其後復有倪士毅之《輯釋》，王元善之《通考》，程復心之《章圖》，而近日更有所謂《四書大全》者。故其相關著作之多，不可枚舉矣！

可見他們不僅對理學有相當理解而能將其應用於佈教之上，而且對宋儒新註之刊行情形亦相當瞭解。惟得在此附帶一言的就是日本禪林除傾倒於宋學外，對《孝經》、《顏氏家訓》、《貞觀政要》、《帝範》、《臣軌》，以及明成祖仁孝皇后所撰《勸善書》等，也都曾經過目。

五、理學在日域之發展

自從宋儒新說——理學東傳日本以後，經華僧北磵居簡、癡絕道沖、無準師範、蘭溪道隆，及日僧辨圓圓爾[106]、雪村友梅、中巖圓月等之傳播而日益興盛。尤其辨圓，他曾將《呂氏詩記》、《胡文定春秋解》、《無垢先生中庸說》、《晦菴大學》、《晦菴大學或問》、《晦菴中庸或問》、《論語精義》、《論語直解》、《孟子精義》、《晦菴集註孟子》、《五先生語》等宋儒新著書帶回日本，此一事實對日本理學之發展應有其相當之貢獻。由於當時來華留學的日僧多師事北磵居簡、癡絕道沖、無準師範等主張儒、佛一致之名衲，而前往扶桑宏揚禪教之華僧亦多系出其門，[108]故他們於返日或赴日之後，亦持儒、佛不二之立場佈教，此一趨勢對日本儒學之發展自然產生影響。上述中日兩國禪僧或在鎌倉，或在京都宏揚禪教。故他們在傳播中華文化上，除佛門之教理教相外，對宋儒理學之傳佈亦自有其相當作用。

當時日域的博士家，在明經方面有清原、中原兩家，文章方面則有菅原、日野、藤原三家。他們所研究之儒學乃以馬融、鄭玄、何晏、皇侃、孔安國等人之註疏，亦即以所謂古註爲主。非僅如此，清原、菅原等博士家已形成所謂家學而秘傳化，致缺乏獨創的研究而形式化、固定化、僵化而了無生氣。在此情形之下，當由禪僧們將中國之新儒學——宋代理學東傳日本，並利用各種契機加以宏揚而受到支持、接受以後，便逐漸普及而興隆。於是前此受到傳統之「家說」，或訓詁、註釋之狹隘的囿限，而且獨佔教學之權威的博士家之儒學，自然無法避開此一衝擊，而不得不對此一新傳之學術作某種程度之反應。惟在宋學東傳之初，其公卿社會也與禪林一樣，未必完全加以接受。就其皇家而言，花園天皇（一三〇八～一三一八在位）即有批判理學之意。其與皇太子量仁親王之〈誡太子書〉云：

> 近年有一群學徒，僅聞先聖之言而自馳胸臆之說，借佛、老之詞，濫取《中庸》之義。以湛然虛寂之理，爲儒學之本，曾不知仁義、忠孝之道。不協法度，不辨理義，無欲清淨，則雖似可

取，唯是庄（莊）、老之道也，豈爲孔、孟之教乎？是不知儒教之本也，不可取之。

宋學東傳以後經過百餘年而花園天皇在儒學上所採取的立場仍著重於漢唐古註，則宋儒新說之要深植於其公卿社會每一個人的心中，實非易事。惟當花園天皇退位，其子後醍醐天皇（尊治親王，一三一八～一三三八在位）繼位，打倒由武士所組成的鎌倉幕府，完成天皇親政之初衷（一三三四）以後，宋代理學便成爲其治國之思想原理，輔弼其推行新政之思想體系。此事可由在鎌倉幕府滅亡之十餘年前，公卿萬里小路宣房[109]爲後醍醐所擬實施之政治革新所提出建言：

> 誠者天下之道也，自誠而明曰聖，自明而誠曰賢。聖賢之道，誠外無他，代代制符，無其實無益歟？今年（一三二〇）一蔀[110]之終也。明年辛酉（元英宗至治元年，日本元亨元年），當革命，殊施德化，可攘其災歟？[111]

獲得佐證。就其爲後醍醐所重用，而且與其北朝廷臣亦有交往之釋獨清（醒）軒玄惠法印[112]而言，他也曾爲宏揚理學而不遺餘力。《尺素往來》曰：

> 先全經者，……清（原）、中（原）兩家之儒，傳師說而爲（天皇）侍讀。傳、註及疏並正義，乃前漢、後漢、晉、唐博士之所釋。此固爲自古以來學者之所採用，惟近代獨清軒玄惠法印，卻以宋朝濂洛之義爲正，開講席於朝廷以來，程、朱二公之新釋遂爲其所重。紀傳則《史記》並兩《漢書》、《三國志》、《晉書》、《唐書》、及《十七代史》等。南、式、菅（原）、（大）江之數家亦傳其說，是又附玄惠之議。《資治通鑑》、《宋朝通鑑》等，人人傳授之，而北畠入道

准后尤得其蘊奥。

由此觀之，玄惠之講授宋學，對日本公卿社會之諸博士家產生相當大的影響。文中所謂南、式諸家，乃藤原家之旁系。北畠入道准后則係指南朝大臣北畠親房（一二九三～一三五四）而言。入道，言其已皈依佛教；准后，即准三后之簡稱，亦即其待遇比照太皇太后、皇太后、皇后之意。

博士諸家既受宋儒新註之影響，則他們之逐漸傾其心力於此一方面之研究，自屬必然。因此，後醍醐曾評當時學風曰：

近日風體，以理學爲先。不拘禮義之間，頗有隱士放遊之風。此乃近日之弊，爲朝臣所不取，君子宜愼之。況至王道之玄微有未盡耳，君子宜深知之。⑪③

此一風氣盛行的結果，至十五世紀時，出身名門的一條兼良⑪④已對宋儒之書作如下解釋謂：

中者，道之極也。《中論》曰：因緣所生法，我說即是空，亦爲假名，亦爲中道義。《尚書》曰：人心惟危，道心惟微，惟精惟一，允執厥中。朱熹謂：中者不偏不倚，無過不及之名也。故二教之所宗，神道之所本，唯中而已。⑪⑤

程伊川曾謂：「不偏之謂中，不易之謂庸。」中者不偏不倚，無過不及。如處四方之中，其靜如止爲中，其動中節爲和。其順理所發之情，即人之常情，亦即明德。據此以觀，一條兼良不僅對儒家旨意有深切之瞭解，而且其所爲之解說完全採用宋儒新說而已非漢唐古註。

宋代理學之東傳不僅影響皇家、博士家，也還影響日本固有信仰——神道⑪⑥之研究。因爲前此神道家對日本之開天闢地與其諸神祇之出現問題，無不敷衍《日本書紀》所記述者。惟至北畠親房，他卻根據宋儒之說以言日本國形成之經緯云：

> 夫天地未生，混沌如雞之隱牙含牙，此陰陽之元初，未分之一氣也。其氣始分，清明者上浮爲天，重濁者下凝爲地。其中出一物，狀如葦芽，即化爲神，謂之國常立尊，又號天御中主神。此神有木火土金水五行之德。……天地之道相交，各象陰陽，惟無舉動。此諸神乃國常立之一神。五行之德，各顯爲神。其次化生之神謂之伊弉諾尊、伊弉冊尊。此正二分陰陽，爲造化之元。上舉五行，猶一一之德，合五德而萬物始生。[117]

此係根據中國陰陽五行之說，及周濂溪之〈太極圖說〉來說明日本國之誕生，與其皇祖神誕生之由來。它屬神話而類似我國盤古開天闢地之傳說。日本神道家之引用〈太極圖說〉雖始自度會家行[118]之《類聚神祇本原》，但以此〈太極圖說〉言神道者則由北畠開其先河[119]。足利衍述曾舉周氏所繪〈太極圖〉，並據前舉北畠之言繪製〈日本皇祖誕生圖〉如下：[120]

周濂溪：太極圖

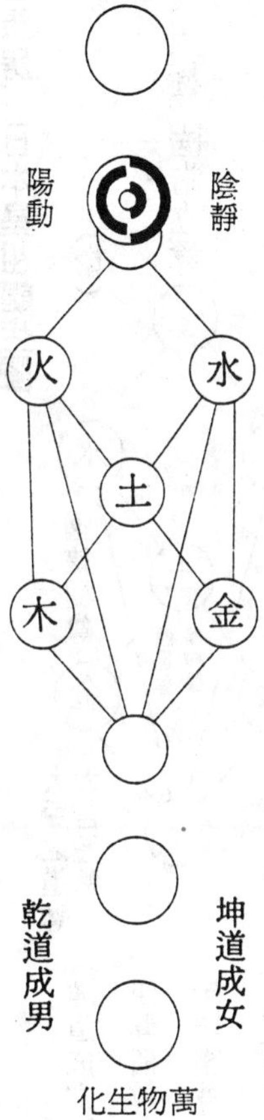

北畠親房：日本皇祖誕生圖

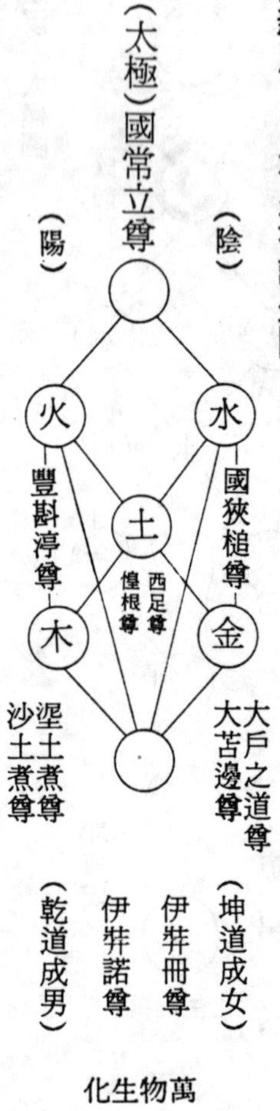

由此所舉周濂溪之〈太極圖〉及北畠親房所繪〈日本國皇祖神誕生圖〉可知，北畠乃巧妙的利用〈太極圖說〉之由宇宙本體說明萬物化成之理，以言日本國產生諸神之配合次序。濂溪在該〈圖說〉中言：

> 無極而太極，太極動而生陽，動極而靜，靜而生陰，靜極復動。一動一靜，互爲其根；分陰分陽，兩儀立焉。陽變陰合，而生水火木金土，五氣順布，四時行焉。五行，一陰陽也；陰陽，一太極也；太極本無極也。五行之生，各一其性，無極之眞，二五之精，妙合而凝。乾道成男，坤道成女，二氣交感，化生萬物。

朱熹釋太極爲理，由此理之動靜生陰陽二氣，生五行而萬物生。又謂性即理，人之心性即稟此理——太極者。故北畠即據此以言日本國即由太極而生，從而產生其皇室祖先之諸神。所以不僅日本爲太極之化身，而且天皇也是太極之化身。職是之故，日本國體之尊嚴無與倫比。於是其皇室之爲萬世一系的說法與南朝爲正統的說法，亦由此而生。北畠之此一說法，形成了垂加神道㉑，而天皇萬世一系說則一直被倡言至日本因戰敗向聯合國無條件投降爲止。至其南朝爲朝廷之正統的說法，則係根據司馬光《資治通鑑》〈三國鼎立〉條所言南北正閏論而來。⑫

日本皇家、公卿、博士家對宋代理學的理解、發展情形如此，那麼五山禪僧的情形又如何？在此擬舉談論心性方面的若干例子以窺其一豹。

性之本體爲適當之欲與眞摯之情，適當之欲加眞情爲天性，此天性即明德。明德之擴大，亦即情高於欲，以至情克欲，則達至善。對此一問題，中巖圓月曾據〈樂記〉與《中庸》，言以性爲體，以情爲用，曰：

> 靜者性之體也，常也，感而動則用也，變也。耳目之官引物而內諸心府，於是性不能不感動也。是以善惡取拾之欲生矣！苦樂逆順之情發矣！惻隱之仁，羞惡之義，則情之善者也。敚斅之暴，驕佚之邪，則情之惡者也。噍殺怨懟之音，情之苦也。寬胖綽裕之容，情之樂也，皆無不本於性而發於情。⑬

據此以觀，則中巖係以性爲超越善惡之絕對的存有，其作爲用之情會產生善惡之別。孟子言人之性善，《荀子》〈正名篇〉言：「性者天下之就也。」〈性惡篇〉則言：「不可學不可事而在天者，謂之性；可學而能，可事而成之在人者，謂之僞。」而諸儒之言性者固多，不過：

> 孟軻以降，言性者差矣！或善焉，或惡焉，或善惡混焉，或上焉、中焉、下焉而三之，皆以出

> 乎性者言之耳，舍本取末也，性之本靜而已。善也惡也者，性之發乎情而出者也，末也。混焉者兼二末而言之，亦是末也。[124]

中巖復以爲性有善有惡，善爲正，惡爲邪。因此《大學》、《中庸》乃爲率此天性，秉其良知以明明德，發其良能以親民，而止於至善。岐陽方秀[125]亦曾曰：

> 《周易》〈離卦〉曰：離，明也，明也者，明德也。明德也者，乃吾聖人之德，所謂一心也。人人之所具，素有之大本，寂而常照，照而常寂，若止水焉，若明鏡焉，若帝網珠焉。然則明德，一心之用；一心，明德之體，惟人不明之作狂，惟狂克明之則作聖，聖之與狂，其在一心之明與不明也歟。昔堯以此明德傳之舜，舜傳之禹，歷于夏、殷暨周文王，厥德克昌，未洽于天下。武王繼而發之，明之於天下，而後有周公，有孔子，皆明明德於天下者也。吾佛大聖人亦傳之大龜氏，大龜氏以傳之慶喜。慶喜之後，數傳以至達磨氏，始來於震旦，以至於慧日，而光明盛大，皆傳一心於萬世者也。其所傳者異乎其名，而其實一也。[126]

此係言心之定義以論儒、佛不二，以《大學》所言明德爲心之異名，以爲心學之傳統源自堯、舜，而岐陽之言悉由晦菴之說而來。惟晦菴雖以明德爲心之本體，但岐陽卻以心得爲本體，以明德爲活用，而岐陽之識見在此。[127]岐陽又以爲一心之作用形於外則將成爲孝友忠信等千道萬行曰：

> 夫學也者，吾聖人設以爲修乎一心之標準也。曰戒，曰定，曰慧，三綱雖異，皆總乎是。其條品乎三十七，其階級乎五十二，假使君子孜孜矻矻，用力之久，而一旦豁然，優入至善之域，

則一心之全體大用，無不明矣！於是乎施于父母，則謂之孝，用于兄弟，則謂之友，行閭里鄉黨、朋友、親族之際，則謂之忠信。凡遇一事，則有一名，雖名有幾百幾千，悉莫不出於一心焉。[128]

岐陽在此所說者除戒、定、慧三綱之修心法爲法語外，其餘俱屬儒者之言而無法逸出朱子所言之範疇。由此可見其傾心於儒學，尤其傾心於理學之一端。

岐陽對理學的態度如此，故其弟子亦不乏奉行其言而不悖者。就翺之慧鳳[129]而言，他曾稱讚朱子曰：

建安朱夫子，出趙宋南遷之後，有泰山巖巖之氣象。截戰國、秦、漢以來上下數千歲間諸儒舌頭，躬出新意，聖賢心胸，如被霧而見太清。數百年後，儒門偉人名流，是其所是，非其所非，置之於鄒魯聖賢之地位，仰之如泰山北斗，異矣哉！三光五嶽之氣，鍾乎是人，不然，奚以致有此乎。[130]

此言可謂將朱子捧得相當高，由此也可看出他對晦菴之學的瞭解之深與尊崇。至於仲芳（方）圓伊[131]則更進一步說：

紫陽朱晦菴，爲天下儒宗，以綱常爲己責。心就造化之原，身體天地之運，雖韓、歐之徒，恐當斂衽而縮退矣！觝排異端，甚斥釋氏。及見圓悟〈梅花〉詩，酬唱不已。稍稍遊其門，雖未能至我奧，而潛知有聖賢之道妙，以足論焉乎！[132]

朱子雖排佛氏，但仲芳對他的崇敬之意並未因此稍減。

由上舉言論，實可看出日本禪林之儒學主義與他們對理學之崇尚。這種崇尚理學的傾向更可以從季弘大叔[133]之言論獲得佐證。季弘云：

> 居士知彼天乎？天實不易。云天也者，道也，理也，性也，一心也。仰而觀蒼蒼者謂之天，不近於兒童耶？昔盛宋之盛也，周、邵、程、朱諸夫子出焉，而續易學不焰之光於周、孔一千餘年之後。太極無極，先天後天之説，章章于世。天非有先后之異，均具于太極一氣之中而已矣！且夫人之脩身誠意者，天與吾一而能樂天者也。……天謂人欲幾嶄絶，則云理，云道，云一心，皆囿于吾混焚一理之中，猶如太極生兩儀、四象、八卦，凡天地萬物之道，含容于一太極也。[134]

由於他們如此傾倒於理學，故乃認為理學就是繼承周、孔之道者。[135]非僅如此，竟言：

> 以一心窮造化之妙，至性情之妙。正《四書》、《五經》之誤，作《集註》，作《易義》，流傳儒道正路於天下者莫若朱文公。不以朱子爲宗，非學也。[136]

而將朱晦菴捧上了天。此與當初虎關師鍊之譏「朱子非醇儒」何啻天壤。但無論如何，禪僧們的這種宋學觀與他們之親近理學互爲因果，終於開展了禪林文學。至謂：

> 源夫道之行於世，有晦有明。蓋自周衰孟子歿，斯道晦盲。若夫濂溪周先生，生乎千五百年之後，繼不傳之正統，再興斯文已墜，誠天之所卑然也。斯道之晦盲，至斯時煥然復明於世矣。

周子傳之河南二程，二程傳至於朱子，而斯文益明。⑬⑦

在此種情形下，日本禪林之學理學者益多，終至於原爲京都相國寺僧侶的藤原惺窩⑬⑧因讀宋儒之書，服其性理之說，遂不慊釋氏之敎絕種滅義理而還俗歸儒。其居京都建仁寺之林羅山⑬⑨亦因讀儒書，傾倒於理學而步出佛門，入儒門，講授理學，且極力排佛，駁老莊，斥陸、王，難耶穌敎，力謀朱子學之振興。出身京都五山而竟排佛，崇朱子之學，可見其醉心於此一領域之一斑。因此，日本近代理學之所以能夠成爲儒學研究之主流，自非偶然⑭⓪。

六、結語

上文係就日本禪林文學興起的原因，宋代理學之東傳與中日兩國禪僧之儒、釋二敎一致論，日本禪林對理學之理解，以及此一學術在日域發展之情形作一番考察。由於當時東渡的華僧與來華留學之日僧所師事者多屬提倡儒、釋二敎一致之名衲，所以他們在日本宏揚禪敎便自然採取此一主張來敎化世俗，藉儒敎爲傳佈禪敎之資。理學東傳之初，博士家之儒學研究雖尙有可取之處，惟其所傳者仍爲漢唐古註，而唯賴自家句讀與口傳方式維持其舊法，致其研究僵化而了無生氣。然當由禪僧們所爲理學研究之傳播日趨廣泛以後，博士家也終於無法漠視理學而開始注意它，研究它。故在理學東傳之初致力於普及此一新儒學者，實爲中、日兩國之禪僧們。

由宋代理學之東傳所帶來的學術研究之變化，固給前此墨守漢唐古註之博士家之家學帶來研究理學之風氣，然就更大層面觀之，則此新東傳之理學實使日本儒教之倫理的活動更爲活潑，對打破讖緯思想的迷信實有過重大的貢獻⑭。

在鎌倉時代，禪僧們曾給位居幕府中樞的高級武士以莫大感化，而此種感化也曾及於一般武士。於是禪宗的悟道與儒教的教養被調和於日本人的性格之中，終於培養了鎌倉武士特有的風格。

從鎌倉時代起至室町時代，日本的漢學研究完全由臨濟宗之五山碩學僧侶執其牛耳，範圍則涵蓋漢文、漢詩及經史方面。此一時期的日本雖然戰亂頻仍，但那些禪僧們卻屹立於風塵之外而維持彼邦文運之命脈，成爲文壇主流而結出五山文學之花果。此一花果，也給下一個時代的文運帶來極大的影響。因爲江戶時代的文壇巨擘藤原惺窩、林羅山、山崎闇齋⑭等人，他們無不受五山僧侶之薰陶而其學術俱由岐陽方秀、桂菴玄樹⑭等人之門流所傳。

在鎌倉、室町時代，理學雖以禪僧爲中心而發展，但以應仁之亂爲契機，因公卿、禪僧爲避戰亂而疏散至地方的結果，原以京都爲中心而發達的學術文化便分布於各地，使地方文化發達起來。就儒學而言，分別形成了薩南學派與南學派，前者有桂菴玄樹、文之玄昌⑭等人，後者則有南村梅軒⑭、忍性、如淵、天室等。前者以九州薩摩（鹿兒島縣）爲中心而發達，後者則以四國土佐（高知縣）爲中心而興隆。

在江戶時代，當大阪城爲德川家康所陷，豐臣氏滅亡——元和偃武⑭以後，因國內不復有較大戰亂而給世人以自我反省之充裕時間，遂開對封建制度之陷於膠著的文化批判之端緒。當時除日本學產生復古機運外，重新檢討程朱之學的風氣亦逐漸開始萌芽。得在此附帶一提的就是江戶幕府雖以理學爲官學（正學），作其文教政策之根本而加以保護，並且曾經查禁非祖述宋儒新說之其他學派——異學，但其理由並非幕府當局認爲理學至高無上，乃是其終極目的在保護成爲幕府生存之命脈的封建制度，因爲朱子重視君臣之道啊。

〔註釋〕

①：參看鄭樑生，〈漢籍之東傳對日本古代政治的影響——以聖德太子爲例〉，收錄於《中外關係史國際學術研討會論文集——思想與文物交流》（淡水，淡江大學歷史學系，一九八九）。

②：足利義滿（一三五八～一四〇八），室町幕府第三任將軍。曾經調停其南北兩朝之間的爭執，使日本復歸統一（一三九二）。明惠帝建文三年（一四〇一），以博多商人肥富，侍從祖阿爲正副使來貢。越明年，明成祖冊封他爲日本國王，賜予冕服、金印。此後，即以「日本國王臣源某某」名義來貢，被成祖視爲最忠於明朝之四夷國王，故去世時曾賜諡「恭獻」。惟其對明朝之忠誠曾在其國內引起不少爭議，至今仍餘波盪漾。

③：應仁之亂（一四六七～一四七七），日本室町時代末期，以京都爲中心發生的大亂。室町幕府原無統治群雄之力，而尤爲中期以後守護大名——諸侯之叛亂所困擾。加之，將軍足利義政的秕政，荒淫無道，致人民之武裝作亂層出不窮，幕府權威掃地。更有進者，各諸侯家之繼嗣問題與將軍之繼承人選問題又糾結在一起，終於明憲宗成化三年（應仁元年）發生二分天下的大亂。東軍以細川氏爲首，西軍以山名氏爲領袖，前後共打十一年。

結果兩敗俱傷，幕府威信蕩然不存，莊園制度崩潰，地方武士之勢力增強，遂發展成爲「戰國大名領國制」。又，因此戰亂而許多公卿、僧侶逃至地方避難，遂促進了地方文化之發展。

④：織田信長（一五三四～一五八二），日本戰國時代諸侯。自其父信秀死（一五五一）後，即從其家鄉尾張（愛知縣）嶄露頭角，南征北討而逐漸傲視群倫。惜在明萬曆十一年（天正十年，一五八三），於率軍馳援在中國地方（廣島、神戶一帶）作戰之豐臣秀吉途次，在京都附近之本能寺，爲其部將明智光秀所弑——本能寺之變。

⑤：豐臣秀吉（一五三六～一五九八），日本安土桃山時代（一五七三～一六〇二）武將，尾張中村人。織田信長之足輕——步卒木下彌右衛門之子。因才華出衆，獲信長之重用。本能寺之變以後，繼承信長之志業南征北討，終於平定天下。萬曆十四年，被日皇任命爲關白。明年，爲太政大臣，獲賜姓豐臣。二十年，發動侵略朝鮮之役，結果，不但毫無所得，反而使其親信之元氣大傷，加速了豐臣氏之滅亡。二十六年，病歿於伏見城。

⑥：德川家康（一五四二～一六一六），江戶幕府首任將軍。三河（愛知縣）人。岡崎城主松平廣忠之長子。歷經戰亂而在織田信長死後，雖曾一度與豐臣秀吉敵對，但在明萬曆十四年以後，卻與秀吉言和，爲平定天下而努力。秀吉死後，於二十八年（慶長八年，一六〇〇）在關原（岐阜縣）地方掃除與其爲敵的石田三成一派諸侯之勢力——關原之戰。三年後被日皇任命爲征夷大將軍，開幕府於江戶（東京）。死後葬於東京近郊之日光東照宮。

⑦：關原之戰，明萬曆二十八年發生於日本美濃國關原之戰役。豐臣秀吉死後，以德川家康爲中心之一派——東軍，及以石田三成爲首之一派——西軍之間發生的戰爭。此一戰役原因家康之設計而發生。開戰時西軍雖略佔優勢，卻因小早川秀秋之倒戈而敗北。結果，石田被斬首，豐臣秀吉之子秀賴淪落爲祿額六十萬石之諸侯，家康則奠定其樹立霸權之基礎。

⑧：教外別傳，不立文字：禪教以爲教家之人只以經論文字或教説爲主，爲有失佛教之眞精神，故認爲眞佛法之正法並不依文字或經教，乃以心相傳而重體驗。這種精神在菩提達磨將禪宗傳至中國時（五二七）即已存在。而它之被特別強調，則爲六祖慧能以下之南宗禪。

⑨：拭不淨故紙，《臨濟錄》〈語錄〉云：「三乘十二分教，皆是拭不淨故紙。」

⑩：拔隊得勝（一三二七～三八七），臨濟宗法燈派。日本甲斐（山梨縣）向岳寺開山。俗姓藤原。相模（神奈川縣）中村人。年幼喪父，長而懷疑，專心端坐不解。年二十九，從治福寺之應衡出家。初從山居之僧玫侍者，後往鎌倉謁肯山聞悟。於常陸（茨城縣）見復菴宗己，遊歷關東各地，參諸名衲後復見玫侍者。經玫之建議入出雲（島根縣）雲樹寺孤峰覺明之室而嗣其法。由孤峰給予拔隊之號。明嘉靖二十七年（天文十六年，一五四七）敕賜慧光大圓禪師之號。遺有《拔隊和尚語錄》、《和泥合水假名法語》等。

⑪：一字一典，甲州向嶽寺開山拔隊得勝之〈遺誡〉云：「於庵中不可置俗典詩書一字一典，況學之者哉！」

⑫：參看芳賀幸四郎，《中世禪林の學問および文學に關する研究》（京都，思文閣，一九八一），頁二〇～二一。

⑬：夢窗疎石（一二七五～一三五一），日本鎌倉末期，南北朝時代之禪僧。初學天臺、眞言，後歸禪宗而師事華僧一山一寧、高峰顯日。培養春屋妙葩（一三一一～一三八八）等俊秀而造成日本臨濟宗的黃金時代。著有《夢中問答》、《臨川寺家訓》等。

⑭：機關，⑴指導學人的手段。爲使學人得悟，隨其機根而設之關門。《碧巖錄》四二云：「雪團打，雪團打，龐老機關沒可把，天上人間不自知。」⑵臨濟宗於室內所用之四種公案——法身、機關、言詮、難透之第二階段，乃爲更加嚴厲的鍛鍊接近透脫法身之公案而設之關門。

⑮：禪林，又稱叢林、旃壇林。僧衆和睦住居一處，有如樹林之靜寂。

⑯：芳賀幸四郎，註⑫所舉書頁二二。

⑰永嘉玄覺（?～七一三），浙江溫州府永嘉縣人。年幼出家，徧尋三藏，精通天臺止觀之法門修禪觀。參慧能，經數次相見問答後即受其印可。住一宿而下山，時人譽爲一宿覺。翌日下山，還溫州宏揚佛法，學者群集，稱直覺大師。賜諡無相大師。著有《證道歌》、《永嘉集》。

⑱僧璨（?～六〇六），禪宗東土的第三代，籍貫不詳。在家時罹風疾，遇二祖慧可。往來問答，悟風疾空不可得之理，乃從慧可出家，相隨兩年而得慧可之法。後往舒州（安徽省）之司空山，因逢北周武帝之廢佛（五七四），乃隱居同州之皖公山十餘年。其間，岏月、巖等禪師至其門下，稱讚他爲眞人。後來與他們同往羅浮山，隱居三年。赴大齋會，手持會中之一樹枝，掩然示寂。唐玄宗賜諡鏡（鑑）智禪師之號，俗稱鏡（鑑）智僧璨或三祖僧璨。

⑲：石頭希遷（七〇〇～七九〇），端州（廣東省）高要人。俗姓陳。至曹溪，從慧能而得度。不久，慧能示寂，乃師事青原行思。天寶（七四二～七五六）初，往衡山之南寺，於寺東之石上結庵而常坐禪於此，故被稱爲石頭和尚。應德二年（七六四），應弟子之請下梁端宣揚宗風。諡無際大師。

⑳：洞山良价（八〇七～八六九），浙江會稽人。俗姓俞。自幼出家。年二十，於嵩山受具足戒，參南泉潙山，後來就學於雲巖曇晟。欲辭雲巖再遊時，因涉水而悟宗旨，遂嗣雲巖。唐大中（八四七～八五九）末，住新豐山，後來振宗風於洞山普利院，被尊爲曹洞宗之高祖。擅長詩偈，遺有《寶鏡三昧歌》、《洞山語錄》一卷。

㉑：參看足利衍述，《鎌倉室町時代之儒敎》（東京，有明書房，一九七〇，影印本）。

㉒：晦機元照（一二三八～一三一九），臨濟宗楊岐派大慧派。南昌（江西省）人。俗姓唐。原期望為進士，與乃兄元齡同讀書。後從西山明出家，遇物初大觀於玉元開法，遂侍之而嗣其法。歷居百丈山、淨慈、仰山。世壽八十二。

㉓：竺仙梵僊（一二九二～一三四八），臨濟宗楊岐派松源派。明州（浙江省）象山縣人。俗姓徐。嗣古林清茂之法。元天曆二年（一三二九），與明極楚俊偕往日本，翌年二月抵鎌倉，為建長寺第一座。後來歷住淨妙、無量、南禪等寺。

㉔：玉村竹二，《禪と五山文學》，收錄於《日本禪宗史論集》上（京都，思文閣，一九八〇，二版），頁一〇二八。

㉕：古林清茂（一二六二～一三二九），臨濟宗楊岐派松源派。字古林，號金剛幢。浙江樂清縣人。俗姓林。十三歲時投天臺山國清寺之孤巖啓出家，嗣橫川如珙之法。

㉖：松源派，系出中國禪宗五家七宗之一的楊岐派，以密庵咸傑之法嗣松源崇岳為其派祖。

㉗：偈頌，偈為gāthā之音譯，頌為詩。偈頌為梵漢兼舉之語。

㉘：明庵榮西（一一四一～一二一五），日本鎌倉時代禪僧，日本臨濟宗開祖。曾來華求法兩次，且將茶樹引進日本，開日本人飲茶之風氣。著有《興禪護國論》。

㉙：一山一寧（一二四七～一三一七），臨濟宗楊岐派。浙江臺州人。俗姓胡。嗣頑極行彌之法。元成宗大德二年（一二九九），奉命持詔東渡招諭日本而竟不回國。一山博學而對朱晦菴之學之造詣尤深。工於書法，晚年之草體堪稱一絕云。

㉚：蘭溪道隆（一二一三～一二七八），臨濟宗楊岐派松源派。日本臨濟宗大覺派始祖。四川涪江人。俗姓冉。嗣無

明慧性之法。南宋理宗淳祐六年（一二四六）赴日。理宗寶祐三年（一二五三），受北條時賴之聘爲鎌倉建長寺開山。遺有《語錄》三卷。

㉛：無學祖元（一二二六～一二八六），元代禪僧，號佛光圓滿常照禪師。浙江會稽人，師無準師範。元至元十六年（一二七九），受鎌倉幕府執權（職稱）北條時宗之聘赴日，爲鎌倉建長寺住持。三年後，爲圓覺寺開山。在日本停留八年，弟子有高峰顯日、規庵祖圓等人。

㉜：兀庵普寧（？～一二七六），臨濟宗楊岐派破菴派僧侶，四川人。自幼出家，登育王山參無準師範，契悟，得其法。元世祖中統二年（一二六〇）赴日，掛錫東福、聖福寺，爲建長寺第二代。至元二年（一二六五）返國。

㉝：無準師範（一一七八～一二四五），臨濟宗楊岐派破菴派僧侶。四川劍閣人。九歲出家，嗣破菴祖先之法。在浙江明州開法。經焦山、雪竇、育王，奉敕進徑山。奉南宋理宗之召奏對，更於慈明殿陞座說法。獲賜佛鑑禪師之號。世壽七十二。遺有《佛鑑禪師語錄》五卷，無文道璨撰有〈徑山無準禪師行狀〉。

㉞：清拙正澄（一二七四～一三三九），臨濟宗楊岐派破菴派。福建連江人。十五歲時隨報恩寺之伯父月溪圓出家。翌年至開元寺受戒。元泰定二年（一三二六），受日本北條氏之聘，與其弟子永錤聯袂東渡，歷住鎌倉之建長、淨智、圓覺，京都之建仁、南禪諸寺。謚大鑑禪師。

㉟：明極楚俊（一二六四～一三三八），臨濟宗楊岐派松源派。浙江昌國人。俗姓黃。十二歲出家，嗣靈隱寺虎岩淨伏之法。元至順元年（一三三〇），與竺仙梵僊同時受聘赴日，獲後醍醐天皇賜予月燄禪師之號。歷住建長、南禪、建仁諸寺，又爲攝津（兵庫縣）廣巖寺開山。

㊱：石室善玖（一二九三～一三八九），臨濟宗楊岐派松源派。日本筑前（福岡縣）人。元仁宗元祐五年（一三一

八）來華，至金陵保寧寺參古林清茂而得其印可。泰定帝泰定三年（一三二六）東返，掛搭南禪寺，隨侍竺仙梵僊。歷董天龍、圓覺諸寺，且開平林寺而爲其第一世。

㊲：龍山德見（一二八四～一三五八），臨濟宗黃龍派。日本下總（千葉縣）香耶郡人。俗姓平。年十五，投相模（神奈川縣）壽福寺寂庵上昭而嗣其法。元成宗大德七年（一三〇三）來華，謁天童山之東巖慧安。東巖寂後參竺西庵。訪江西諸剎，元順帝至正九年（一三四九）東返。歷住南禪、天龍諸寺。其《語錄》被收錄於《黃龍十世錄》之中。諡眞源大照禪師。

㊳：不聞契聞（一三〇二～一三六九），曹洞宗宏智派。日本武藏（埼玉縣）川越人。俗姓平。投圓覺寺之東明慧日。年十四，落髮登叡山受戒。二十五歲時來華，歷參古林清茂、月江正印等名衲，因獲東明促其回國之信而東歸。歷住武藏瑞應寺，相模圓覺寺。六十五歲時在瑞應寺築梵音庵退隱。

㊴：別源圓旨（一二九四～一三六四），曹洞宗宏智派。越前（福井縣）人。俗姓平。年幼出家，於圓覺寺從東明慧日十二年而嗣其法。元仁宗元祐七年（一三二〇）來華，參中峰明本、古林清茂，文宗至順元年（一三三〇）東返。在華時曾獲古林之印可。曾爲越前弘祥寺開山，創善應寺、吉祥寺，歷住京都眞如寺、建仁寺。著有《南遊集》、《東歸集》。

㊵：中巖圓月（一三〇〇～一三七五），臨濟宗大慧派。日本相模（神奈川縣）人。元泰定元年（一三二四）來華，歷參靈石如芝、古林清茂、龍山德見後參東洋德輝而爲其書記。至順三年（一三三二）返國。著作除《語錄》外尚有《東海一漚集》。

㊶：寂室元光（一二九〇～一三六七），臨濟宗大覺派。美作（岡山縣）人。俗姓藤原。十三歲時出家。元仁宗元祐

七年（一三二〇）來華，於天目山謁中峰明本，旋參古林清茂、清拙正澄等。泰定三年（一三二六）回國，爲永德寺開山。遺有《永源寂室和尚語錄》二卷、《遺誡》一篇。

㊷：玉村竹二，前舉書頁一〇三五。

㊸：義堂周信（一三二五～一三八八），日本南北朝時代臨濟宗僧侶。初期五山文學代表作家之一。號空華道人。土佐（高知縣）人。夢窗疎石之弟子。著有詩文集《空華集》及日記《空華日用工夫略集》。

㊹：絕海中津（一三三六～一四〇五），日本室町時代初期臨濟宗僧侶，擅長中國近體詩。明洪武元年（一三六八）來華，九年東返。在華期間，曾至杭州中天竺寺及靈隱寺學佛法，且曾在金陵奉天殿覲見明太祖，以日本徐福祠爲題獲賜唱和之殊榮。《鄰交徵書》所錄絕海中津之詩曰：「熊野峰前徐福祠，滿山藥草雨餘肥。只今海上波濤穩，萬里好風須早歸。」明太祖和曰：「熊野峰高血食祠，松根琥珀也應肥。昔時（年）徐福求仙藥，直到如今竟（更）不歸。」絕海著有詩文集《蕉堅稿》。

㊺：季潭宗泐（一三一八～一三九一），臨濟宗僧侶，字季潭，又稱全室。浙江臺州人。俗姓周。八歲時即參笑隱大訢而嗣其法。元末隱遁徑山。明洪武元年（一三六八）住杭州中天竺寺。後來奉詔住金陵天界寺。十年，出使西域，二十四年九月十日示寂。著有《全室外集》九卷。

㊻：獨菴道衍，俗名姚廣孝。師事愚庵智及，博覧內外典，後來還俗復舊名，仕明成祖頗有治績。著有《道餘錄》。

㊼：如蘭，明初禪僧，曾於永樂二年（一四〇四）撰日僧明庵榮西之《明庵西公禪師塔銘》。該《塔銘》見於伊藤松所輯《鄰交徵書》。

㊽：不可棄俊芿（一一六六～一二二七），日本鎌倉初期八宗兼學之僧侶。字我禪，號不可棄。肥後（熊本縣）人。

南宋寧宗慶元五年（一一九九）來華習戒律，嘉定四年（一二一一）回國，被明庵榮西迎至建仁寺。七年後住京都東部之仙遊寺而將其更名爲泉涌寺，以爲天臺、眞言、禪、律兼修之道場。擅長書法，作品尚存。

㊾：北磵居簡（一一六四～一二四六），臨濟宗大慧派。俗姓龍，四川潼山人。從邑之廣福院圓澄得度，在浙江之徑山參別峰、塗毒。一日見卍庵之語有省，往浙江育王山見佛照德光而嗣其法。曾於飛來峰北築室而居，後來歷住各地名刹。世壽八十三。現存《北磵和尚語錄》、《北磵文集》十卷、《北磵詩集》九卷、《北磵外集》一卷。

㊿：足利衍述，《鎌倉室町時代之儒教》，頁三一所記載樓鑰之宋學淵源如下：

程子 ┬ 呂本中 — 呂太器 — 呂祖謙 — 樓昉
　　 └ 袁溉 — 薛篠宜 — 樓鑰

51：曉瑩禪師，生年不詳。臨濟宗大慧派，嗣大慧宗杲之法。晚年住羅湖之畔，著《羅湖野錄》。又，曾於感山之臥龍庵著《臥雲紀談》二卷。南宋高宗紹興十一年（一一四一）示寂。

52：足利衍述，前舉書頁二二。

53：文禮禪師（一一六七～一二五〇），臨濟宗松源派。字滅翁，號天目。臨安人。俗姓阮。年十六，參邑之眞相寺的智月和尚，領育王山拙庵德光之旨，受薦福寺松源崇岳之印可。後來出世於京城之廣壽寺，移雁山能仁寺，奉敕住南屏山淨慈寺，四明天童山。與朱熹有深交。淳祐十年十月十日示寂，世壽八十四，法臘六十八。

54：大慧禪師，即大惠宗杲（一〇八九～一一六三），臨濟宗楊岐派。宣州（安徽省）寧國人。俗姓奚。年十三，入鄉校學儒學。十六歲，就東山慧雲寺之慧有得度，翌年受具足戒。獨究禪籍。大觀元年（一一〇七）秋登廬山，後來參洞山微學曹洞宗旨。住徑山能仁禪院，大振宗風。得南宋孝宗皈依，獲賜大慧禪師之號。隆興元年示寂，世壽七十五，法臘五十八。謚普覺禪師。著有《大慧語錄》、《大慧武庫》。

55：足利衍述，前舉書頁三三～三四。

56：足利衍述，前舉書頁三四。

57：了元佛印（一〇三三～一〇九八），雲門宗。饒州（江西省）浮梁人。俗姓林。年十一即讀《論語》，後來出家於寶積寺，受具足戒。登廬山參開先善暹，參圓通居訥。年二十八，嗣居訥，出世江西承天寺，歷住廬山開先、歸宗；江蘇金山、焦山等諸名剎，四度住雲居。獲賜佛印禪師之號。

58：佛日契嵩（一〇〇七～一〇七二），雲門宗。廣西藤州人。俗姓李。七歲出家，十三歲得度剃髮。十九歲行腳廣求禪師學之，嗣江西筠州洞山曉聰之法。著有《禪門定祖》、《佛法正宗論》、《補教編》等。嘉祐六年（一〇六一）仁宗賜予明教大師之號。後來住佛日山，神宗熙寧五年六月四日示寂，世壽六十六。

59：闡提惟照（一〇八四～一一二八），曹洞宗。四川簡州人。俗姓李。自幼厭俗，在成都以鹿苑清泰爲師，十九歲出家，受戒修《大乘起信論》等教學。後來謁芙蓉道楷於大洪山。大觀年間（一一〇七～一一一〇），道楷遇難，被流至山東淄州。惟照往謁山東沂水之道楷途中大悟，與道楷重逢而嗣其法。住招提寺。宣和四年（一一二二）補處廬山之圓通寺。遷泐潭，爲宣揚曹洞宗旨而努力。建炎二年示寂，世壽四十五，法臘二十五。

60：參寥道潛（？～九六一），法眼宗。山西河中府人。俗姓武。自幼出家，謁法眼文益多年而嗣其法。後辭法眼，在浙江衢州之古寺閱藏，因五代忠懿王錢氏之命入府中，爲王授菩薩戒，獲賜慈化定慧禪師之號。王又建慧日永明寺（淨慈寺），使之往住，加賜應眞，而該寺佛衆不下五千云。建隆二年圓寂。

61：別峰宗印，生卒年不詳。宋代西蜀人。臨濟宗大慧派。號空叟。嗣育王德光之法。初住浙江湖山之崇光保壽院，後住慶元之育王山。遺有《空叟印禪師語要》，被收錄於嘉熙二年（一二三八）師明編《續古尊宿語要》五。

62：佛日契嵩，《補教編》卷四。

63：癡絕道沖（一一六九～一二五〇），臨濟宗。江蘇武運人。俗姓苟。初參薦福寺之松源崇岳，後來在妙果的曹源道生處悟玄旨。遍歷叢林後，於嘉定十二年（一二一九）出世浙江嘉興天寧寺，移蔣山。嘉熙九年（一二四五），因京兆尹之皈依而開浙江吳興法華寺，同年住臨安之徑山。淳祐十年五月十三日示寂。世壽八十二，法臘六十一。遺有《癡絕道沖語錄》二卷。趙若琚曾爲其撰〈行狀〉。

64：足利衍述，前舉書三六。

65：北磵居簡，《北磵外集》〈儒釋合〉。

66：癡絕道沖，《癡絕道沖語錄》卷上，〈示懶庵居士〉。

67：鏡堂覺圓（一二四五～一三〇六），宋西蜀人。自幼兼通經籍，有雅思。遊吳參名宿，登太白，師事環溪禪師而受心印。元至元十六年（一二七九），與無學祖元偕往日本，受鎌倉幕府執權北條時宗之崇信，董鎌倉建長、圓覺諸寺，後來改住京都建仁寺，法化頗盛而朝野皈依者甚衆。元大德十年九月二十六日圓寂，年六十二。日皇敕賜大圓禪師之號。遺有《鏡堂錄》三卷。

68：鏡堂覺圓，《鏡堂錄》卷一，〈禪興錄〉。

69：鏡堂覺圓，《鏡堂錄》卷一，〈圓覺錄〉。

70：足利衍述，前舉書頁六六～六七。

71：竺仙梵僊，《來來禪子集》。

(72)：雪村友梅，（一二九〇～一三四六），臨濟宗楊岐派一山派。日本越後（新潟縣）白鳥鄉人。一山一寧法嗣。十八歲時來華，參元叟行端、虛谷希陵、東嶼德海、晦機元照等大師。元天曆元年（一三二八）返國。門下有萬里集九、季瓊眞蘂、龜泉集證等名僧。著有《岷峨集》。

(73)：雪村友梅，《岷峨集》卷四，〈三條殿頌軸序〉。

(74)：無文元選，雪村友梅之弟子。元順帝至正三年（一三四三）來華學佛，十年東返。住京都歸休庵，後來董遠江（靜岡縣）方廣寺，美濃（岐阜縣）了義寺達三十年之久。以諭導爲專職，遠近景仰，雖販夫走卒、兒童，如遇之路途，必予合掌膜拜，可見其德化之深。晚年歸隱方廣寺，緇徒慕之而來者多達二千，無文無不一一予以教誨云。世壽六十八。著有《語錄》一卷。

(75)：無文元選，《無文禪師語錄》〈覺元公禪定門〉。

(76)：橫川景三（一四二九～一四九三），臨濟宗。五山文學代表作家之一。播磨（兵庫縣）人。爲避應仁之亂，疏散至近江（滋賀縣）山上。回京都後獲室町幕府第八任將軍足利義政之信任，歷住等持、相國、南禪諸寺，且曾被任命爲鹿苑院僧錄司，居於五山的領導地位。著有《東遊集》、《京華集》、《補菴錄》及日記《橫川日件錄》等。

(77)：橫川景三，《京華集》卷三，〈建中字說〉。

(78)：兀庵普寧，《兀庵錄》卷中。兀庵亦在其《語錄》卷上謂：「儒教亦云：君子務本，本立而道生。此本即是自己本命元辰，本來面目。」

(79)：中國禪僧之言儒、釋、道三教一致者，如無準師範在其《語錄》卷五中云：「一三三一，三一一三，解不能散，聚不成團。今古合成閉口面，只因門戶有多般。」大休正念亦在其《語錄》〈壽福寺錄〉中云：「儒、釋、道三教之興，譬若鼎鼐品分三足，妙應三才，闡弘萬化，雖門庭施設之有殊，而至理所歸之一致。」

⑧⓪：大休正念（一二一五～一二八五），臨濟宗楊岐派松源派。佛源派祖。浙江溫州永嘉人。初學佛法於靈隱寺東光妙光，後嗣石溪松月之法。南宋度宗咸淳五年（一二六八），受鎌倉幕府執權北條時宗之皈依，在鎌倉開淨智寺。歷住禪興、壽福、建長、圓覺諸寺。著有《大休和尚語錄》六卷。

⑧①：蘭溪道隆，《大覺禪師語錄》卷中，〈建長寺小參〉。

⑧②：蘭溪道隆，《大覺禪師語錄》卷上，〈常樂寺錄〉。

⑧③：《孟子》〈公孫丑章〉云：「何謂浩然之氣？曰：難言也、其爲氣也，至大至剛，以直養而無害，則塞於天地之間。」

⑧④：《論語》〈季氏篇〉云：「孔子曰：益者三友，損者三友。友直、友諒、友多聞，益矣！友便辟，友善柔，友便佞，損矣！」

⑧⑤：《論語》〈季氏篇〉云：「益者三樂，損者三樂。樂節禮樂，樂道人之善，樂多賢友，益矣！樂驕樂，樂佚遊，樂安樂，損矣！」

⑧⑥：大休正念，《大休正念語錄》卷三，〈示明賢禪人〉。

⑧⑦：大休正念，前舉《語錄》卷五，〈贈左馬頭殿詩〉。

⑧⑧：無學祖元，《佛光正道禪師語錄》卷七，〈答太守問道法語〉。

⑧⑨：陳式銳，《唯人哲學》（廈門，立人書報社，民國三十八年），頁九。

90：無學祖元，前舉《語錄》卷七，〈偈示糟屋三郎衛門〉。

91：虎關師錬（一二七八～一三四六），日本鎌倉時代末期禪僧。歷住三聖、東福、南禪諸寺，著有《元亨釋書》、《禪戒集》、《濟北集》、《聚分韻略》等。

92：虎關師錬，《濟北集》〈通衡〉五，卷末語。

93：夢窗疎石，《夢中問答》卷中。

94：義堂周信，《空華日用工夫略集》，永德元年（一三八一）十二月二十七日條云：「《大學》、《中庸》，最爲治世之書。」

95：義堂周信，前舉書同年十二月二日條。

96：中巖圓月，《中正子》〈性情篇〉。

97：景徐周麟（一四四〇～一五二八），室町時代臨濟宗僧侶。別號半隱。五山文學代表作家。曾被任命爲朝明貢使而婉謝。著有《翰林葫蘆集》十七卷及《宜竹殘稿》。

98：景徐周麟，《翰林葫蘆集》卷八，〈中岳字說〉。

99：仁如集堯（一四八三～一五七四），籍貫不詳。曾師事龜泉集證、天隱龍澤等名僧，住播磨之法雲寺、寶林寺。明嘉靖二十三年（一五四四）奉命董相國寺，尋改住南禪寺。三十九年，轉至鹿苑院擔任僧錄司達十四年之久。明萬曆二年七月二十八日示寂，世壽九十二。著有《縷冰集》二卷。

100：仁如集堯，《縷冰集》卷下，〈一之齋說〉。

101：《大學》〈傳之九章〉云：「是故君子有諸己，而后求諸人；無諸己，而后非諸人。所藏乎身而不恕，而能喻諸人者，未之有也。」

⑽：南化玄興（一五三八～一六〇七），號虛白，美濃（岐阜縣）人。自幼出家，從邑之邦叔宗愼薙髮受具，曾爲美濃華谿寺開山。後來奉詔入京都妙心寺。豐臣秀吉曾迎之爲京都祥雲寺開山。明萬曆三十二年（一六〇四）圓寂，諡定慧圓明國師。著有《虛白錄》三卷，《虛白外集》一卷，《語錄》一卷。

⒀：南化玄與，《虛白錄》卷二，〈一以字說〉。

⒁：東沼周曮（一三九一～一四六二），號留月道人。南禪寺遊叟之弟子。歷住南禪、相國二寺，晚年居建仁寺栖芳院。涉臘儒、釋經典，而爲時人所推重。好讀《莊子》，著有《流水集》。

⒂：東召周曮，《流水集》〈說夢〉。

⒃：桃源瑞仙（一四三〇～一四八九），日本近江（滋賀縣）人。臨濟宗。自幼喪母，從邑之慈雲院齊月禪師讀書。未幾，至京都相國寺爲明遠俊哲之弟子，剃髮受具而嗣其法。生性喜讀儒、釋書，著有《史記抄》十九卷，《百衲襖》二十三卷，《三體詩抄》六卷，《焦雨稿》二卷，《江湖集抄》若干卷。

⒄：辨圓圓爾（一二〇一～一二八〇），日本鎌倉時代禪僧，敕諡聖一國師。南宋理宗端平二年（一二三五）來華，參徑山之無準師範而得其印可。東返後，曾先後爲其三位天皇授戒，且曾三度前往鎌倉宏揚佛法，其門流稱東福寺派或聖一派。其自中土帶回之漢籍內容見於釋大道一以整理編輯而成之《普門院經論章疏語錄儒書等目錄》。

⒅：如據足利衍述之研究，來華日僧與赴日華僧所師事之僧侶如下：

無準師範
- 辨圓圓爾
- 蘭溪道隆
- 兀庵普寧
- 無學祖元
- 環溪—金鏡堂覺圓

癡絕道沖
- 辨圓圓爾
- 蘭溪道隆
- 兀庵普寧
- 頑極行彌—一山一寧

北磵居簡
- 不可棄俊芿
- 辨圓圓爾
- 蘭溪道隆
- 無學祖元

⑩⑨：萬里小路宣房，公卿資通之子。原名通信，從一位權大納言（官名）。元順帝至元二年（一三三六）落髮，三年後出家。歷仕數朝而詳於典故，遺有日記《萬一記》。

⑪⑩：一部，如據《後漢書》《律曆志》下所紀，則部爲我國古代曆法名。中國古代曆法係揉合太陽、月亮之軌道設計而計算，以晝夜爲一日，以月亮圓缺爲一月。小月六次各二十九天，大月六次各三十天，計一年爲三五四天，比地球繞太陽一年之三六五．二五天少一一．二五天。因此，每十九年共增七個閏月，即（11．25日×19）＝（30日×7）。十九年叫一章，四章叫一蔀，二十四蔀叫一紀，三紀稱一元。以冬至與月朔（冬至爲一年之始，初一爲一月之始）同一天爲首章（每十九年，冬至、月朔有一次同一天）。以冬至在朔日之首（夜半）爲蔀首（每七十六年即四章，冬至、朔日、夜半有一次同時）。蔀法指一部19年×4＝76年，或（12月×76）＋（7閏×4）＝940月，或365．2天×76＝27，759天。日本古代曆法學自中國，故其有關此一方面之說法與中國相同。

⑪⑪：萬里小路宣房，《萬一記》，元應元年（一三二〇）五月十四日條。

⑪⑫：獨清（醒）軒玄惠法印（一二七九～一三五〇），日本南北朝時代漢學家。玄惠亦書如玄慧。相傳原爲天臺宗僧侶，與公卿日野資朝有交往。爲後醍醐天皇侍讀，教授理學。後醍醐實施新政失敗以後，爲建立室町幕府之足

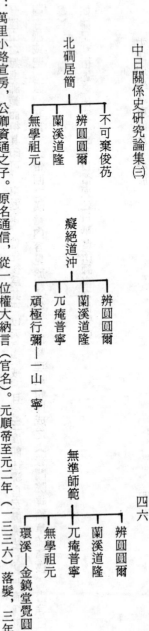

利氏所起用，曾參與制訂規範武士行止之〈建武式目〉（御成敗式目）。

113：後醍醐天皇《日記》，元亨三年（一三二三）七月十九日條。

114：一條兼良（一四〇二～一四八一），日本室町時代公卿、學者、太政太臣、從一位。應仁之亂時，宅第與藏書均化爲灰燼。明成化九年（一四七三）出家。嫻於典故、神道，有才子之令譽。著有《文明一統記》、《樵談治要》、《桃花葉》、《花鳥餘情》、《日本書紀纂疏》等。

115：一條兼良，《日本書紀纂疏》卷上。

116：神道，日本固有之民族宗教，其原始形態在於崇拜自然，相信靈魂不滅而巫的性格濃厚。隨其國家體制之整備發展成爲崇拜祖先、氏族神祇，國祖神，於是大和朝廷便規定其神社、祭祀之格式、配祀等而予以制度化。惟其思想體系卻在佛教東傳以後，方纔受此外來宗教之影響而逐漸確立與之抗衡的神道觀念。迄至平安時代，當「本地垂跡說」盛行以後，就興起言佛主神從之「山王一實神道」與「兩部神道」，南北朝時代則有主張神主佛從之「伊勢神道」。室町時代則吉田兼俱組織了「唯一神道」之理論。江戶時代則山崎闇齋倡言神儒一致之「垂加神道」，本居宣長根據其國學主張主觀的神道論。本居的此一主張在其弟子平田篤胤的「復古神道」中成爲尊王論的思想基礎。明治政府繼承平田之思想，實施神佛分離政策，使神社隸屬於國家，使之成爲崇拜皇室的國家主義神道。惟在二次大戰以後，因奉佔領軍之命而國家與神道分離。然在民間信仰方面，卻從江戶幕府末年起至明治年間，於神道之外有黑住教、天理教、金光教等言現世利益，救濟民衆等，謂之教派神道而至今仍有相當多的信徒。

117：北畠親房，《神皇正統記》〈天神七代〉條。

⑱：度合家行（一二五六～一三六二），日本南北朝時代伊勢神宮外宮之神官，完成伊勢神道者。爲其南朝盡力而與北畠親房有私交，且給北以思想方面之影響云。著有《類聚神祇本源》、《瑚璉集》、《神道簡要》等。

⑲：足利衍述，前舉書頁一八三。

⑳：足利衍述，前舉書頁一八二。

㉑：垂加神道（Shidemasusintō），江戶初期，由山崎闇齋所倡導之神道。在山崎所經歷的各種思想中，主要以朱子學之敬愼說爲中心，而加上吉田神道與伊勢神道之要素的神儒合一思想。言開天闢地之神道與天皇之德獨一無二，故其尊王，尊重國體的傾向頗強，給水戶學以某種程度之影響。不僅在幕府末年成爲尊王運動之前驅的竹內式部爲其門流，而且在明治維新之際，此一門派也曾經扮演了重要角色。

㉒：義堂周信：《空華集》第十一，〈袁氏贏吟序〉。

㉓：中巖圓月：《中正子》〈性情篇〉。

㉔：同前註。

㉕：岐陽方秀（一三六一～一四二四），日本臨濟宗僧侶。讚岐（香川縣）人。號岐陽，稱不二道人。長於漢詩文，著有《不二遺稿》二卷。

㉖：岐陽方秀，《不二遺稿》卷下，〈明說〉。

㉗：足利衍述，前舉書頁三六四～三六五。

㉘：岐陽方秀，《不二遺稿》卷上，〈送允中昱侍者序〉。

㉙：翺之慧鳳，岐陽方秀法嗣。曾於明宣德十年（一四三五）隨其貢使恕中中誓來華，歷江南諸禪刹而歸。擅長漢

詩文，著有《竹居清事》、《西遊集》，壽至百餘云。

(130)：翺之慧鳳，《竹居清事》〈晦菴序〉。

(131)：仲芳《方》圓伊（一三五四～一四一三），日本臨濟宗聖一派僧侶。長崎人。隨聖福寺南嶺子越而嗣其法。曾遊學南都（奈良），學律於高湛律師，在京都東福寺修行。明惠帝建文四年（一四〇二）創播磨（兵庫縣）法雲寺，後來出世於建仁寺，遷南禪寺，大舉禪風。晚年則退居建仁寺內之長廣庵。明永樂十一年八月十五日示寂，世壽六十。著有《懶室漫稿》。

(132)：仲芳圓伊，《懶室漫稿》卷五，〈野橋梅雪圖詩序〉。

(133)：季弘大叔（一四二一～一四八七），日本臨濟宗聖一派僧侶。備前（岡山縣）人。自幼出家，十三歲時參東福寺之竹庵大緣而嗣其法。歷住東福寺，堺（大阪府）之海會寺。世壽六十七。著有《蔗軒日錄》二卷，《蔗庵遺稿》一卷。

(134)：季弘大叔，《蔗庵遺稿》、《蔗軒日錄》，文明十七年（一四八五）九月二十六日條。

(135)：桂林德昌（？～一四九九）在其《桂林錄》〈除夜小參〉論禪宗之道統後云：「譬如諸儒宗，則文武傳之周公，周公傳之孔子，孔子傳之孟軻。孟軻之後，不得其傳。迨趙宋間，濂溪浚其原，伊洛導其流，橫渠助其瀾，龜山揚其波。到朱紫陽，集而大成。」橫川景三亦在其《補庵京華集》卷一，〈程明道〉條謂：「自孔孟以來唯二程。」

(136)：唉朕雲，《古文眞寶鈔》前集，〈朱文公勸學文〉。

(137)：文之玄昌，《南浦文集》前集，〈朱文公勸學文〉。

138：藤原惺窩（一五六一～一六一九），日本江戶初期漢學家。播磨（兵庫縣）人。初爲京都相國寺僧侶，後來改讀朱子學，將五山禪僧作爲敎養的儒學加以體系化，樹立了京學派。門中有林羅山、堀杏庵（一五八五～一六四二）、松永尺五（一五九二～一六五七）、那波活所（一五九五～一六四八）等所謂藤門四天王及許多才俊。著有《千代もと草》、《四書五經倭訓》等。

139：林羅山（一五八三～一六五七），日本江戶初期漢學家，幕府儒官林家之始祖。法號道春。京都人。明萬曆三十三年（一六〇五）始仕德川家康，自此以後，爲四位幕府將軍之侍讀。曾以朱子學之立場來敍述日本史，著《神道傳授》、《本朝神社考》等，以謀朱子學與其神道之調和。主要著作有《本朝通鑑》二七三卷、《羅山文集》七十五卷。

140：鄭樑生，《元明時代東傳日本的文獻》（臺北，文史哲出版社，民國七十三年），頁一三六～一三七。

141：高田眞治，《日本儒學史》（東京，地人書館，昭和十八年），頁三八～三九。

142：山崎闇齋（一六一八～一六八二），日本江戶初期儒者及神道學者。倡神儒一致。他的學說以朱晦菴之敬愼說爲中心，有濃厚的尊王與尊重日本國體之意味，曾給「水戶學」以很大影響。

143：桂菴玄樹（一四二七～一五〇八），臨濟宗僧侶。日本周防（山口縣）人。號桂菴，別號島隱（陰）。十六歲出家。明憲宗成化三年（一四六七），與其貢使天與淸啓來華，在中土停留七年。成化十四年，受島津忠昌之聘，住大隅（鹿兒島縣）正興，日向（宮崎縣）龍源二寺。後來董日向安國寺，且受島津忠廉之聘設桂樹菴，刊行《大學章句》。薩南學派之祖。

144：文之玄昌（一五五五～一六二〇），日本臨濟宗僧侶。字文之，號南浦。日向人，俗姓湯佐（和仁）。七歲時奉父命出家，嗣東福寺龍吟庵熙春龍喜之法。長於詩。其訂桂菴玄樹之「訓點」——句讀之「文之點」《四書集註》，流行於江戸時代。

⑭⑤：南村梅軒，生卒年不詳。日本戰國時代（一四六七～一五六七）漢學家。周防（山口縣）人，相傳爲大內氏之遺臣。明嘉靖（一五二二～一五六六）末前往土佐（高知縣），仕吉良宣經，講受《四書》、兵法。其學風爲谷時中（一五九八～一六四九）所繼承，所謂南學派即繼承此一系統者。

⑭⑥：元和偃武，言日本在其元和年間（一六一五～一六二四），消滅以大阪爲據點的豐臣秀吉（一五三六～一五九八）之子秀賴（一五九三～一六一五）以後，國內不再發生較大規模的戰亂而天下太平。

日本五山禪僧對宋元理學的理解及其發展

——以《大學》爲例

一、前言

大家都知道，禪宗乃以「教外別傳，不立文字」爲其形式，亦即以禪定三昧之功，「一超直入如來地」，舉轉迷開悟之實，來「直指人心，見性成佛」。所以不但對以教理、教相爲主的內典未予重視，其有關外典的學術作品，當然也在排除之列。然此並非言禪宗不使用文字，乃是不依據特定經典，不追逐論理，而用直觀方式悟入境地，亦即不以文字作爲論理之手段。①

然因禪宗重視直覺，所以在悟入過程中，往往會誘發其詩情。禪宗乃最中國化的佛敎宗派，而中國本來就非常重視文字，這種情形自然會影響禪林。並且中國係一個吏治國家，此一特質對已華化的禪林自必有一定的影響而尤以官寺爲然。結果，官場所使用的公文形式，如：榜、疏、啓、劄等，也被原原本本的延用於禪林的日常生活之中。抑有進者，因禪林的官吏化，致禪林與達官貴族的交往漸趨密切，遂以創作詩文作僧俗交往的手段。同時，禪林也爲開悟而在彼此之間盛行問答，亦即藉人與人直接接觸方式來悟道。而其問答方式也終於發展爲產生禪林文學的原因之一，又因禪林重視人與人之間的接觸，故與其朋儕有牢固的同志間結合，所以每當邂逅別離之際，多藉詩文以發抒其情懷，此亦爲產生禪林文學的要素之一。②

中國禪林的特色之一，就是深受士大夫的影響。中國的士大夫多經由科舉出身而後爲官，但由於政權的隆替，旣有在官場得意的，也有下野爲民的。而後者則間有因此失意而隱逸山林，終爲禪宗所吸引者。但那些在野者未必都一直隱逸，俟得機會，又重返廟堂。當他們復仕後，或許仍不忘禪而予以關懷、愛護，乃將金錢、土地捐贈禪寺，禪僧便因此能過其足衣足食的生活，有較多時間來讀書。③但禪僧中也有因科舉失敗才皈依佛門，在禪林求發展的，如元代的晦機元熙，及與華僧明極楚俊（一二六四～一三三八）聯袂赴日的竺仙梵僊，就是因爲對仕宦死心方纔遁入空門者。

禪宗雖標榜不立文字，但它在中國卻是因獲得愛好學問與文藝的士大夫階級之支持而發展的中國式佛教，故從唐代開始，其內部就產生以偈頌爲中心的宗教文學，此一傾向在宋代更形顯著。尤其在兩宋時候，曾經刊行許多僧侶的詩文集——外集，而自南宋至元代之間，以文筆聞名於世的禪僧輩出，如：無學祖元、兀庵普寧、古林清茂等人，旣是當時禪林泰斗，也是傑出的偈頌作家。由於當時東渡扶桑的禪僧多出彼輩門下，而來華學佛的日本僧侶也多以他們爲師，所以南宋、元代的中國禪林學習外集的風潮對日本有很大影響，乃自然趨勢。

我們從日本五山禪僧的著作，及木宮泰彥著《日華文化交流史》所列宋、元時代留華之日僧名單推知，當時的日本僧侶有強烈的崇華思想，而這種思想在明代也沒有改變，則他們在這種思想上，毫不保留的將中國禪林的典範與好尚加以模倣，實爲使日本禪僧傾向於研究中國經典及文學的一大契機。

因此，本文擬探討中、日兩國禪僧對禪門研究中國經典或作詩文的看法，與其接受這些宗門外的學術之情形，他們研究中國經典的傾向，及如何應用那些經典來佈教，他們的經典研究對彼邦儒學有何影響等問題。

二、日本五山禪僧研究中國經典的傾向

如衆所周知，禪之教理與宋元性理之學靈犀相通，其作實際修養的居敬窮理與禪之打坐見性有一脈相通之處。程明道云：

> 一人之心，即天地之心；一物之理，即萬物之理。④

又云：

> 這箇義理，仁者又看作仁了也，智者又看做知了也，百姓又日用而不知，此所以君子之道鮮焉。此箇亦不少，亦不剩，只是人看他不見。⑤

誠如芳賀幸四郎所說，衆心即佛心，人人與生俱來的佛性眞如——天地自然之命脈，乃禪者之所悟而爲以《般若心經》爲始的衆多大乘佛教經典所記載。⑥明道復云：

天理云者，這一箇道理，更有甚窮已。不爲堯存，不爲舜亡，人得之者，故大行不加，窮居不損，這上頭來，更怎生説存亡加減？是佗元無少缺，百理俱備。⑦

這種說法與《般若心經》所謂人人本具佛性之「不生不滅，不垢不淨，不增不減」之理相通而有如佛者之言。⑧程伊川雖謂：「禪學止到止處，無用處，無禮儀。」而「看一部《法華經》，不如看一艮卦」，⑨但其學說體系之重點——事理一致，體用一源⑩的說法，實來自華嚴哲學之事理無礙的法界觀。⑪至二程子以後的朱晦菴，他在四十以後雖曾排佛，卻嘗留心於禪，⑫而於十八歲應考科舉時，其篋底僅有一部《大慧語錄》云。⑬理學大師們的思想傾向既如此，則他們的學說自然爲禪僧們所容易瞭解而對它產生親近感。所以韓昌黎輩雖反對佛教，但明教契嵩、北礀居簡、癡絕道沖、無準師範等高僧卻接受程、朱之學，言儒佛不二，三教一致。北礀居簡云：

大乘之書五部，咸在釋氏，所以破萬法者也。爲《詩》，爲《書》，爲《禮》，爲《易》，爲《春秋》，則聖人所以妙萬法者也。初以《般若》破妄顯眞，則《詩》之變風，變俗也。次以《寶積》顯明中道，則《書》之立政，立事也。次以《大集》破邪見而護正法，則《春秋》明褒貶，顯列聚，大中之道也。次以《涅槃》明佛性，神德行，則《中庸》之極廣大而盡精微也。次以《華嚴》法界圓融理事，則《易》之窮理盡性也。⑭

無準師範則云：

三教聖人，同一舌頭，各開門户，鞠其旨歸，則了無二致。⑮

北磵、無準等高僧的這種思想在宋代禪林間已蔚爲風尚，而此種風尚對彼輩在士大夫之間傳佈禪旨頗有裨益。因此，宋代禪林研究儒家經典的風氣相當盛行，而有元一代的情形亦復如此。

我們雖欲詳考宋元理學於何時由何人東傳扶桑，而日本學者對此一問題的探討，也衆說紛紜，莫衷一是，卻只知它是隨禪宗之東傳而傳至彼邦，其後使它成爲日本學術主流之一的，並非前此執東瀛漢學界之牛耳的博士家，乃是以京都五山爲中心的禪僧們。雖然如此，在東傳之初，並非所有日域禪僧都毫無保留的加以接受而有採取否定態度者。其持反對態度之最著者當首推學富五車的虎關師錬。他曾批評程氏之學謂：

> 夫程氏主道學，排吾教，其言不足攻矣。⑯

以爲程子學說雖多取自釋氏之教而後來竟予排斥爲憾。其抨擊朱晦菴之學則謂：

> 《晦菴語錄》云：釋氏只四十二章經，是他古書，其餘皆中國文士潤色成之。《維摩經》亦南北朝時作。朱氏當晚宋稱巨儒，故《語錄》中品藻百家，乖理者多矣，釋門尤甚。諸經文士潤色者，事是而理非也，蓋朱氏不學佛之過也。夫譯經者，十師成之。十師之中，潤文者時之名儒，奉詔加焉者多有之矣，宋之謝靈運，唐之孟簡等也。文士潤色實爾，然漢文也，非竺理矣！朱子議我而不知譯事也。又，《維摩經》，南北朝時作者不學之過也。蓋佛經西來，先上奏然後奉詔譯之，豈閑窗隱几，僞述之謂乎？況貝葉字不類漢書，故十師中有譯語，有度語，漢人之謬，妄不可納矣！是朱氏不委佛教，妄加誣毀，不充一笑。又云：《傳燈錄》極陋，蓋朱

氏之極陋者文詞耳，其理者非朱氏之可下喙處。凡書者其文雖陋，其理自見。朱氏只見文字，不通義理，而言佛祖妙句為極陋者，實可憐愍。夫《傳燈》之中，文詞之卑冗也，年代之錯違者吾皆不取。然佛祖奧旨，禪家要妙，捨《傳燈》，猶何言乎？朱氏不辨，漫加品藻，百世之笑端乎。我又尤責朱氏之賣儒名而議吾焉。《大惠年譜》〈序〉云：朱氏赴舉入京，篋中只有《大惠語錄》一部，又無他書，故知朱氏剽《大惠》機辯而助儒之體成耳。不然，百家中獨持妙喜語耶？明是王朗得《論衡》之謂也。朱氏已宗妙喜，卻毀《傳燈》，何哉？因是言朱氏非醇儒矣！⑰

由這段文字看來，虎關是在譏朱子非醇儒。然我們得在此注意的就是虎關所譏者在於朱熹未洞徹佛教奧旨，而以膚淺的理解妄自菲薄佛教，從大慧宗杲之《語錄》盜取機辨而非難禪。足利衍述以為虎關所批判者在他排佛方面，而在儒道方面則肯定其說法而予以採用。⑱虎關雖未直接論難朱子哲學與其《四書》新註，但其所著《濟北集》或其他篇什中也沒有積極肯定朱子學說之迹象，故足利氏之此種評論當不出其臆測之範疇。⑲職是之故，虎關雖肯定朱氏之宋學新註所具有的進步意義，卻因其排佛而用批判的眼光來看它的。

當然批判宋儒者並非侷限於虎關一人，在元末來華學佛八年而嗣東陽德輝，且與當代儒者張觀瀾有過交往的中巖圓月，他或許因浸淫於濃厚的朱子學氣氛中，故其言論不似虎關偏激而對晦庵的評價頗高，謂：

朱之爲儒，補苴罅漏，鈎玄闡微，可以繼周紹孔者也。⑳

然而中巖也並非一味贊成宋儒之所說，因爲他對某些宋儒之只因禪僧之片言隻句而即行排佛的態度表示其內心的憤懣。因此，他就曾經說過：

夫伊洛之學，張、程之徒，夾註孔、孟之書，而設或問辨難之辭。亦有恁地便是恰好，不要者般什麼說話，無道理了。那裏得箇不理會得，卻較些子等語，然其主意存於擿提佛老之道也，此等語非禪也審也。㉑

又說：

儻不本佛心，而固執而以若此等語爲禪者，伊洛家流，何異之耶？可言禪乎？㉒

虎關、中巖的態度雖如此，但時代稍晚的義堂周信對宋學的態度較諸上述二僧，實和緩了許多。義堂乃日本五山文學的雙璧之一，他雖曾因居於禪本位之立場，以爲儒學是次要的，不過爲弘通禪宗，敎化世俗的手段之一謂：

君子學道，餘力學文。然夫道者，學之本也；文者，學之末也。……上人其爲學之本乎？將其爲學之末乎？老杜以文章自負者，尚不曰乎？文章一小技，於道未爲尊。念哉！㉓

又謂：

一文一藝，空中小蚋，此梁亡名子之言也。文章一小技，於道未爲尊，此唐杜甫子之言也。如二子言，則文章與夫道遠者明矣。而《雜華經》則說：菩薩能於離文字法中出生文字。又說：

雖隨世俗演說文字而恆不壞離文字法。子劉子則說：心精微發而爲文，如此二者說，道固不外乎文字矣！㉔

義堂以爲如從自利向上之第一義而言，就應將文章加以否定；從利他向下的立場來說，則在不執著於文字的條件下予以肯定。因此他自己也通曉儒家經典而對朱子《性理旨要》也加以研讀，㉕而對朱子新註的評價頗高。謂：

近世儒書有新舊二義，程、朱等新義也。宋朝以來儒學者，皆參吾禪宗，一分發明心地，故註書與《章句》，迥然別矣。《四書》盡於朱晦菴。菴及第以《大慧書》一卷，爲理性學本。云云。㉖

又謂：

漢以來及唐儒者，皆拘《章句》者也，宋儒乃理性達，故釋義太高。其故何？則皆以參吾禪也。㉗

由此不但可知他對儒書新舊二學之異同的看法，也得悉他對朱註《四書》推崇備至。義堂是五山文學的代表作家，由其言論可看出日本禪林的宋學觀之端倪。

岐陽方秀則以宋學爲儒學正統而大肆鼓吹，其弟子雲章一慶也祖述乃師之說，而「每喜誦程、朱之說，仍製《理氣性情圖》。又有〈一性五性例儒圖〉」㉘的。與雲章有同門之誼的翺之慧鳳，他崇拜朱熹的情形，實遠超過上述諸僧。他說：

> 建安朱夫子出趙宋南遷之後，有泰山巖巖之氣象。截戰國、秦、漢以來上下數千歲間諸儒舌頭，躬出新意。聖賢心胸，如披霧而見太清。數百年後，儒門偉人名流，是其所是，非其所非，置之於鄒魯聖賢之地位。仰之如泰山北斗，異矣哉！三光五嶽之氣，鍾乎是人。不然，奚以至有此乎？㉙

可謂推崇備極。

海會寺住持季弘大叔也頗傾倒於宋儒，謂：「濂洛諸君子以仁義禮智爲人之性，前人未發之鐍鍵。」㉚相國寺派禪僧萬里集九則以朱子爲「究造化之原，體天地之運」㉛而加以崇拜，而無法從其別種著作中發見非難朱子排佛之詞句來。㉜

然給晦庵以很高評價的，並非只有上述諸僧而已。仲方（芳）圓伊曰：

> 時紫昜朱晦庵爲天下儒宗，以綱常爲己責。心究造化之原，身體天地之運。雖韓、歐之徒，恐當斂衽而縮退矣。㉝

此言朱熹因「心究造化之原，身體天地之運」，雖韓愈、歐陽修輩，在他面前也會退縮。由此看來，日本禪僧在初時對朱熹雖有所責難，然後持容納態度，到了最後，則對他五體投地了。

翺之非僅推崇朱熹，他對理學之祖周敦頤也非常崇拜。其讀周氏〈太極圖說〉後的感想是：

> 太極者，無極也。是周舂陵發明易道以嘆之之言也。天地未判，陰陽未兆，謂之太極乎？父母未生，混沌溟濛，謂之太極乎？是實難言。周家之老，纔以無極兩字註之。德山棓之，臨濟喝

之，禾山之鼓，石鞏之弓，只註箇太極兩字。㉞

誠如芳賀幸四郎所說，此不言對德山之棓，臨濟之喝，禾山之打鼓，石鞏之弓加上註腳者爲太極兩字，卻反過來說「只註箇太極兩字」㉟。由這些言論，實可看出日本禪林之儒學主義對理學的崇尙。這種崇尙理學的傾向在季弘大叔的言論中更可得到證明。他說：

居士知彼天乎？天寔不易。云天也者，道也，理也，性也，一心也。仰而觀蒼蒼者謂之天，不近於兒童見耶？昔聖宋之盛也，周、邵、程、朱諸夫子出焉。而續易學不熖之光於周、孔一千餘年之後。太極無極，先天後天之說，章章于世。天非有先后之異，均具于太極一氣之中而已矣。且夫人之修身誠意者，天與吾一而能樂其天者也。……天謂人欲幾嶄絕，則云理，云道，云性，云一心，皆囿于吾混焚一理之中。猶如太極生兩儀、四象、八卦，凡天下萬物之道，含容于一太極也。

因他們如此傾倒於理學，故認爲理學就是繼承孔孟之道統者。㊲非惟如此，竟言：

以一心窮造化之妙，至性情之妙。正《四書》、《五經》之誤，作《集註》，作《易本義》，流傳儒道正路於天下者莫若朱文公。不以朱子爲宗，非學也。㊳

而將朱晦菴捧上了天。

由上舉之例，我們可以發見日本禪林在初時雖也曾批判「朱子非醇儒」，但後來卻演變成「不以朱子爲宗，非學也」。亦即他們的宋儒觀或宋學觀，乃隨時代之推移而由批判轉變爲推崇。此宋儒觀或宋學觀之變遷，因禪僧之親近理學而互爲因果，終於開展了禪林文學，至謂：

源夫聖道之行於世，有晦有明。蓋自周衰孟子歿，斯道晦盲。若夫濂溪周先生，生乎千五百歲之後，繼不傳之正統，再興斯文已墜，誠天之所卑然也。斯道之盲，至斯時煥然復明於世矣。周子傳之河南二程。二程傳至於朱子，而斯文益明。㊴

在這種情形之下，日本禪林之讀朱子新註經典者不少，而蔚爲風氣。所以他們除將其研究心得著爲文字外，也將它運用於其傳道方面。有關此一方面的主題，擬於下文討論。

三、日本五山禪僧對《大學》的理解

日本五山禪僧接受宋學的心路歷程既如上述，則彼輩對此一方面的研究心得如何？又怎樣將其心得應用於其佈教方面呢？茲以《大學》之三綱領八條目爲例作簡單的介紹。

大家都知道，宋朝以前的經學研究係以《五經》爲主，趙宋以後的理學家則偏重於朱熹所註《四書》方面。由於日本禪林所受我國宋代學術的影響頗深，故彼輩之中國經典研究，莫不以宋儒馬首是瞻。我們雖無從得知朱註《四書》東傳扶桑的確定時間，卻可從於南宋理宗紹定五年（貞永元年，一二三二）來華學佛，淳祐元年（仁治二年，一二四一）東返的日僧辨圓圓爾帶回的圖書，亦即京都東福寺普門院所典藏圖書之經釋大道一以整理、編輯之《普門院經論章疏語錄儒書等目錄》中有《晦菴大學》三冊，《晦菴大學或問》三冊事，得悉其東傳時間至遲在十三世紀四十年代之初。

《四書》是儒家人生哲學之大全，亦爲每個讀書人必讀之書。它教人以窮理、正心、修己、治事之道，乃我們日常行爲之規範。《中庸》提出「性」——良知、良能；《大學》提出「明德」——欲與情之調節。率「性」之道，則可臻明德，此乃《大學》之根本，亦可謂《大學》之發端。㊵朱熹云：

明德者，人之所得乎天，而虛靈不昧，以具衆理而應萬事者也。但爲氣稟所拘，人欲所蔽，則有時而昏。然其本體之明，則未嘗息者。故學者當因其所發而遂明之，以復其初也。㊶

日僧月舟壽桂則云：

《大學》之道，在明明德，在親民，在止於至善，此儒家者之三綱也。天臺吳筠著〈玄綱〉之篇，贊青年之書，此道家者之三綱也。五千餘函之說，不過於戒、定、慧之三，此佛家者之三綱也。萬目雖異，大綱則同。云云。三教即一教，三綱即一綱，誰論萬目有異哉？㊷

月舟以爲《大學》之三綱領與佛氏的戒、定、慧相同而儒、釋、道三教即一教，三綱即一綱而並無差異。岐陽方秀則云：

予考于《周易》〈離卦〉，說之曰：離，明也。明也者，明德也者，乃吾聖人之德所謂一心也，人人所具素有之大本。寂而常照，若止水焉，若明鏡焉，若帝綱珠焉。然則明德，一心之用；一心，明德之體，惟人不明之作狂，惟狂克明之，則作聖。聖之與狂，其在一心之明與不明也歟？㊸

岐陽之將「明明德」三字作如是解說，乃是把「明德」視爲與父母未生以前之本來面目，亦即與每一個人圓成之佛性異曲同工，與見性悟道同義。由此觀之，岐陽的此一說法不外乎將晦菴之見解與禪之見性予以渾融統一，從而引導人們獲得佛果的。㊹

不過，一個人的行爲之「自覺」或「不自覺」，是本質上的，並非程度上的分別。任何一個人，只要能當下內省，隨時內省，刻刻自省，均能突破氣質所際遇的限制。所以立人之道，不是去主宰別人，爲他人安排一切，乃是先覺者一方面以身作則，樹立榜樣，另一方面則透過禮樂教化，以啓迪每一個人的自覺，使人自作主宰，祛除物慾，不斷更新自己的德行，顯發天賦的心靈。非僅如此，還得站在自明一己之明德的基礎上，使民衆不斷的自我更新，自明其明德，以臻「新民」之域。㊺月舟壽桂在此一方面，也有其獨到見解云：

> 湯之盤〈銘〉曰：苟日新，日日新，蓋滌爾心垢。豁爾胸天，昨日如此，明日如此。〈康誥〉曰：作新民。蓋鼓舞日新之道，俾萬民警發焉。《詩》曰：周雖舊邦，其命維新。蓋文王能新其德，始受天命。戴氏〈大學〉篇舉此三語以述新民之義。大哉！在我新其德；至哉！令人新其德。㊻

由是觀之，爲政者必須在自明一己之明德的基礎上，使民衆不斷的自我更新，自明其明德，此即所謂之「新民」。從明明德至新民，了無間斷，而皆臻於極，使心靈所具之眞理普遍，具體的呈現於人倫日用之間，令萬事萬物無一不恰如其理，此即爲「止於至善」。㊼而我們行道之始，即應知所止爲

「至善」，施情至誠能感化。更深造之，施情之至，人亦報之。如此能應付萬事萬物，自能左右逢源，達其最終「自得」之境。㊽岐陽方秀云：

一旦廓然躋乎眞俗不二之域，而後愍彼蠢而無知之氓，道之齊之，使其造乎道奧。此乃馬鳴祖師以謂義有三大而在心處物者也。先儒明德新民之要，亦不外於此。㊾

可見岐陽以爲《大學》之三綱領與佛家之說並無二致，而《詩》〈小雅〉所謂「邦畿千里，惟民所止」者，亦當指此而言。

《大學》之道既是在明明德，就是要明明德於天下。明明德於天下，就是平天下。平天下必先將自己的國家治好。如果連自己的國家都無法治好，又怎能使天下人都悅服？所以如要治理一國，就必須先把自己的家庭治好。如要整理一家，使家人都像自己的樣子，聽自己命令，就必須使自己的行爲可做家人的模範。故「欲治其國者，先齊其家，欲齊其家者，先修其身，欲修其身者，先正其心」。心如雜以私欲，即如鏡之蒙塵，其所感應之物，將不得其正。良知因失其明，是非無可辨別，良能更無從施其眞情，如此則身無由立。㊿唯有以修身爲本，去過分之欲，以求心正，身乃得立。修身既如此重要，則在修身時必須注意情、欲問題。因爲：情、欲各得其當爲明德，而修身本身即在明德。然而一個人有時不免爲氣質所拘，爲欲所蔽，漸漸失其靈明，以至於泯滅。而一切驕奢、淫逸、失德敗行的生活與惡習，乃從之而生。51因此，如欲明明德於天下，就必須先能治國，欲治其國，必先能齊其家。而齊家的關鍵，其實也可說治國、平天下的關鍵，在於修身，52而修身則在正其心。《大學》

〈傳之七章〉云：

所謂修身在正其身者，身有所忿懥，則不得其正；有所恐懼，則不得其正；有所好樂，則不得其正；有所憂患，則不得其正。

王陽明以爲「人心」得其正爲「道心」，「道心」失其正則爲「人心」；去私慾，則能意誠而返於天理——明明德。因此，一個人如欲求其至善之境，則必須以修身爲本，以工夫爲「正心」。而本身之健全，則須由格物而致知，而意誠，而心正，而身修。本身修養既無問題，乃得用心於齊家、治國、平天下。㊾

有關「正心」問題，日域禪者也將它利用於傳道方面。華僧蘭溪道隆赴日後，其示了禪侍者的法語中言參禪學道之要領云：

道正其心，誠其意，目不邪視，口不亂談。㊿

無學祖元亦云：

學道先正心，心正可學道。(55)

日僧義堂周信則云：

要正家國，先宜正身；要正身，先宜正心。(56)

雪村友梅更云：

天下無二道，聖人無兩心。心也者，周乎萬物而不偏，卓乎三才而不倚，可謂大公之言，中正之道也。竺土大仙證此心而成道，魯國先儒言此道而修身，以至治國治天下、致知格物之理，若非統此而金之，其成功也難矣哉！故知道之所在，在天下則天下重，書一芥則一芥重。舜何人也，晞之則是妙悟玄契，何所在而不重也哉！[57]

可見禪者也認爲治國、修禪須先正心、誠意，則無論爲政者或修禪者，均須先正心、修身，確定目標，方纔有所著力。《大學》〈經一章〉云：

物格而后知至，知至而后意誠，意誠而后心正，心正而后身修，身修而后家齊，家齊而后國治，國治而后天下平。自天子以至於庶人，壹是皆以修身爲本。

身既修，乃得施情於齊家、治國、平天下。村菴靈彥云：

《事林廣記》〈警世人事類〉載：余氏家所稱居家四本者，其一曰：讀書，起家之本。其二曰：循理，保家之本。其三曰：勤儉，治家之本。其四曰：和順，齊家之本。予嘗論此四本，繇《大學》八條目之例而可辨焉。若夫讀書起家而後，循理保家；循理而後，勤儉治家；勤儉而後，和順齊家。其先後次第，自然吻合矣！凡公侯及士庶人之家，造次顚沛，目想心存，不忘斯言，則其本必立，而其末必成矣！[58]

此以《大學》八條目之例來釋「居家四本」，且深深體會了《大學》「物有本末，事有終始」之本末先後思想。人能齊家，則可以治國。五倫，家得其三——父子、兄弟、夫婦；父慈子孝，兄友弟恭，夫婦和合，如此方能治其國。其爲父子兄弟足法，而後民法之；此謂治國在齊其家。[59]

村菴雖以《大學》八條目之例來解釋居家四本，義堂周信也模倣八條目之說法來立說。以爲安心、正心才是治國平天下的根本。曰：

心安則身安，身安則家安，家安則國安，國安則天下安。天下安則凡寓形於宇內者，皆安寧而居。苟心未安，則反之。⑩

然他之作如是言，並非爲解釋八條目之含義，乃是要告訴人們如欲正心、安心，則以禪之修行最爲捷徑。因此，他是利用八條目來誘引大家步入禪門的。⑪至如仁如集堯所謂：

其貞者正也。孔夫子曰：《詩》三百，一言以蔽之，曰：思無邪。又，誠意、正心者爲《大學》八條目，皆以正之一字，儒教之至要者乎。⑫

也是根據《大學》之思想而立說。

當時日僧對《大學》研究頗有心得而有其獨到之處，茲以雲章一慶之〈雲桃抄住持草〉爲例，簡介如下⑬：

大學：古之欲明明德於天下者，壹是皆以修身爲本。（經文）

正心以上，皆所以修身也；齊家以下，則舉此而措之耳。（朱子章句）

以三綱領言
- 明德
- 新民
- 止善

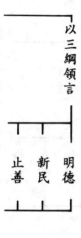

大學
以八條目言
格物　致知　誠意　正心　修身　齊家　治國　平天下
可見爲學次第

三綱八目所先
本　明明德之故　自末及本而　各以先爲言　末
格物　致知　誠意　正心　修身　齊家
始　求知至善之所在　應上之所先字

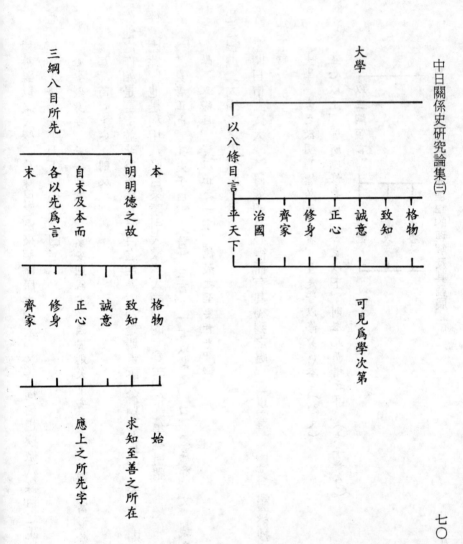

新民之故	治國 明明於天下	終 求至善之所止

三綱八目所后

本 明明德之故 自本及末而 各以后爲言	格物 致知 誠意 正心	始 已知至善之所在
末 新民之故	修身 齊家 治國 平天下	終 皆得至善之所止

若如朱熹之所言，則此三綱領八條目以修身爲首要，可以修身兩字涵蓋一切。如欲格物、致知、誠意、正心，則非修身不爲功。身修則自能齊家、治國平天下矣。

由上所舉可知雲章對《大學》之理解。雖然在表面上看三綱領宜置於八條目上，以綱領統條目，則條理更清晰，⑭雲章似乎忽略了這一點，然而他對本末先後之把握，卻無可置疑，深得《大學》之義理。

日僧之利用八條目引人入禪，其作法實不出我先儒論道所爲之範疇。因先儒論道，乃以《大學》之八條目以廣大其理想，而其終極之理想，又在平治天下，以謀全人類之幸福。他們認爲：如欲謀全人類之幸福，便當推以及人，將一般民衆一切腐朽的、不良的、不適宜時代環境的思想、風習、生活習慣予以剷除，以確保生存與發展，此即所謂之化民成俗。⑮禪者則由於他們是以見性悟後之修行以臻自他不二，眞俗不二，萬物與我一體之境，從而引導人們擷取佛果。故彼輩以爲自己的這種做法，與八條目之旨意頗能吻合。

以上係從日本五山禪僧之各種著作中摭拾有關他們對《大學》三綱領八條目之理解與應用之情形，並且從而得知彼輩將《大學》目爲「初學入德之門」，爲政者必讀之書而加以重視。⑯然彼輩之解釋《大學》，與前此日本博士家所採傳統的漢唐訓詁有異，乃是從儒佛一致的立場來解釋而傾向於宋學新註方面。而曾於明憲宗成化四年（文明十三年，一四八一），在薩摩（鹿兒島縣）獲伊知地重貞之資助刊行《大學章句》一卷，該是彼邦禪林重視《大學》的具體表現。影響所及，其公卿之在當時也接受宋學薰陶，及於講學時開始採用宋儒之說，也是值得注意的。⑰

四、日本五山禪僧的經典研究對彼邦學術發展的貢獻

宋儒的性理之學東傳以前，在日域執儒學之牛耳的是博士之家，他們講授中國經典時所依據者，乃馬融、鄭玄、何晏、皇侃、孔安國等人的註疏，亦即所謂之古註，而注重訓詁，多作駢驪。更有甚者，每一博士之家雖擔任其天皇之侍讀，或參與其幕府將軍之讀書活動，卻墨守舊習，注重口傳而竟有所謂之「家說」，將其儒學秘傳化，致因欠缺自由獨創之研究風氣而逐漸形式化、僵化，以至於了無生氣。然自禪僧將宋學東傳，並予弘通以後，非僅給彼邦之儒學研究帶來革新之機運，而且也促其興起折衷學風及產生新神道，使彼邦人士之國家觀念加強，⑱此乃東瀛儒學史上値得特書之事。

宋儒學說東傳之初，曾對其一向囿於其狹隘的傳統之家說或訓詁註釋之窠臼的博士之家與公卿社會帶來很大的衝擊。因爲當其左大臣德大寺公繼聽完京都泉涌寺僧不可棄俊芿首次講解「《五經》《三史》奧粹，本（日本）朝未談之義」之後，曾爲之驚喜而大爲感歎。⑲當時那些博士家之一的菅原爲長曾經對此新近東傳的宋儒之說，與禪僧辨圓圓爾展開辯論，結果，被反詰得無言以對。《聖一國師（辨圓圓爾）年譜》文永五年（一二六八）條云：

菅諫議爲長，時爲儒宗。嘗曰：唐土三教，更相陟降，本朝釋氏何哉？意每銜之。聞師道化，願其一戰，以決雌雄。一日，偶會莊嚴藏院。師曰：我法佛佛援手，祖祖相傳，苟無師援，則爲師設。某甲世尊以降五十五世，……以釋例儒，亦當如此。不知公於孔子，已得幾世乎？菅

公箝口以退。語人曰：我欲與爾師抗衡，彼詰以世系，我已不能酬對。

此一故實在日域頗膾炙人口。我們姑且不論博士家之菅原爲長，與曾經來華接受儒、釋之學之薰陶的高僧辨圓圓爾彼此爲儒學論難的事情是否屬事，但東傳以後不久的宋學之在此一時期，非僅已在日域落地生根，而且已逐漸獲得公卿社會之共鳴，致有威脅其博士之家在漢學方面的權威之現象，是不難推知的。而此種現象實反映宋學東傳以後不久，便造成其新舊兩派因思想體系之不同而彼此拮抗之情形而頗爲有趣。(70)

宋學東傳之初，雖受以博士家爲中心的學術界保守派之非難，卻因其深遠的哲理與清新的理論，使人在不知不覺中爲它所吸引，故除禪林外，其公卿社會也在它東傳後不久便有不少官員習宋儒之說。故其花園天皇（一三〇八～一三一八在位）曾批評其大內之此種風氣曰：

近日朝議，大體可謂治世。……凡近日朝臣多以儒教立身，尤當如此。而政道之中興，又由是乎？因近代斷絕上下一體所立之場，致無從得知其實情，乃只據《周易》、《論》、《孟》、《大學》、《中庸》立義而無口傳，各自樹立自己風格，故或有非難、毀謗等事發生，然於大體並無疑殆。(71)

可見日本朝臣在當時已受宋儒學說而唯《周易》、《論語》、《孟子》、《大學》、《中庸》之言立論，而不似往日之採用口傳方式，可以各自發抒見解。此乃與往日最大不同處，從而亦可證明宋學已在其公卿社會落地生根。其在公卿社會宏揚宋儒之說而厥功甚偉的，就是獨清（醒）軒的玄惠法印和尙。我們雖無從查考玄惠出身如何，及其學問之所自出，但知他曾見用於其後醍醐天皇（一三一八～一三三九在位），後來則與其北朝之廷臣交往，且爲室町幕府（一三三六～一五七三）首任將軍足利尊氏所推崇。《尺素往來》一書對他在此一方面所作貢獻有如下記載云：

前此全經者，……清（原）、中（原）兩家之儒，侍讀時用師傳之說否？傳註及疏并正義，乃前漢、後漢、晉、唐博士之所撰。自古以來，我（日本）邦儒者莫不用其說，惟自近代獨清軒玄惠法印以宋儒濂洛之義爲正，在朝廷開講席以後，程、朱二公之新釋變得最爲重要。紀傳則《史記》並兩《漢書》、《三國志》、《晉書》、《唐書》及《十七代史》等，南、式、菅（原）、（大）江等數（博士）家傳其說乎？是又附玄惠之議，人人傳授《資治通鑑》、《宋朝通鑑》等，而北畠（親房）入道准后尤得其縕奧云。[72]

由此看來，自釋玄惠法印在其宮中講授宋儒新說以後，因南、式、菅原、大江等博士家也都採用它而蔚爲風氣。文中所謂北畠親房，就是日本南朝之輔臣，政治、軍事方面的中心人物，他對伊勢神道的造詣亦深。在那些公卿中，習宋儒之說而頗有成就者爲一條兼良。兼良出身世代書香之家，其曾祖父經通嘗研讀朱註《周易》。前舉釋雲章一慶是其庶兄。他在其所著《四書童子訓》（現存《大學童子訓》）的章句解釋中釋「敬」字云：

朱子釋敬字爲已完成努力。此一敬字乃度大學、小學而治一心之公案。敬也者，謹之義也。曲禮之首言莫不敬。禮雖有三百三十目，卻可歸納爲敬之一字。凡事如予輕率處理，則會發生偏差。如有居敬之心，則其所爲當皆合理。……故敬乃聖學一貫之要道，學者思之！思之！

此乃兼良以淺近嗣語來解釋朱子有關居敬窮理之說者。又，他在其《日本書紀纂疏》卷上所引儒書之解釋則爲：

中者，道之極也。《中論》曰：因緣所生法，我說即是空，亦爲是假名，亦爲中道義。《尚書》曰：人心惟危，道心惟微，惟精惟一，允執厥中。朱熹謂：中者不偏不倚，無過不及之名也。故二教之所宗，神道之所本，唯中而已。

此乃完全根據新註立說者。至於清原家，則其業忠曾經講授朱子之《易學啓蒙》。⑬講授《尚書》時則根據古註而參考新註的有五十餘處。棄古註，從新註的則有六十餘處。由此看來，業忠是以古註爲主而折衷新註的。⑭如據芳賀幸四郎的研究，業忠在講授《論語》時多參考朱子《集註》，且推崇永樂敕撰之《四書大全》。菅原宣賢則參考《朱子集註》，《或問》與《朱子語類》，張栻之《癸巳論語解》，胡炳文之《四書通》，陳櫟之《四書發明》，王元善之《四書通考》，倪士毅之《四書輯釋》，張存中之《四書通證》，程復心之《四書章圖篡釋》；《孟子》則根據《孟子集註》；《大學》、《中庸》則據各該《章句》、《或問》，及《四書大全》等。⑮因此，菅原家的儒學在宣賢時已顯著傾向於朱註，而其他博士的情形，當與此相去不遠。由此看來，日本公卿社會的儒學在其南北朝時代，大致已風靡宋儒之新說了。

迄至室町時代，則無論禪林或公卿，莫不以宋儒之學，尤其以朱子之學爲繼承孔、孟之道統者，且尊崇宋學始祖周濂溪而成爲一代風尙。其所以致此的原因雖多，但時勢之進展而掌文敎之牛耳的禪僧在敎化世俗時，因與程、朱之新儒學靈犀相通，乃將前此佛主儒從的作風改爲釋、儒並列，並偏愛新註經典，而致力公開講授，以謀其普及的關係。⑯因此，當時在日域普及宋儒之說的，禪林實應居首功，其受禪林影響的公卿則不過處於輔助地位而其功不彰。雖然如此，扶桑之朱子學在此一時期已從京都普及於關東而逐漸樹立其體系。同時，又因禪僧研究儒學的風氣昂揚，遂呈儒主禪從之局面，從而出現許多緇衣之儒，所以到德川時代（一六〇三～一八六七），便有禪僧脫下緇衣，專門以鑽研儒家經典爲務了。

不過得在此一提的就是在十五世紀六十年代，室町幕府第八任將軍足利義政，與其負責幕政者——管領家，俱因繼承人選問題而發生爭執，遂引起應仁之亂，（一四六七～一四七七），致天下武士分成東西兩軍對壘，京都化爲戰場，官宇廨舍焚燬殆盡。此一戰亂的結果雖兩敗俱傷，卻因有許多公卿與禪僧爲逃避戰亂而遷徙地方，遂給地方帶來文運興隆之機。抑有進者，自前代以來，因禪林咸認儒家思想爲實際的世界之敎，而禪僧與諸侯亦認爲在此板蕩之世，宋儒之說實較不立文字更爲重要，⑰所以大家莫不孜孜努力於研究它。結果，日本漢學界遂分爲京學、薩南、南學、足利學校四派而各擅其長，彼此崢嶸。

京學派系出華僧一山一寧，其主要人物有岐陽方秀、雲章一慶、翱之慧鳳等五山禪僧，博士之家及公卿一條兼良等人。博士之家研讀宋儒新說的情形，上文業已提及，毋須贅述。岐陽曾經公開講授

《四書集註》與《詩》、《書》之傳文，且還更正前此日域之訓點法，使朱子學與佛學並行於世。所以朱子學之能夠在日域盛行，此一學派之功不可沒。此一學派的特長在講書、抄書、作詩方面，其及於精神、政治等樞要者極少。應仁之亂以前，曾致力講解各種經書，亂後則只以《四書》為主。博士之家固於前代開折衷新舊二說之端，至南北朝時代已成長至能與五山禪僧分庭抗禮的地步。公卿方面的經學，則系出岐陽方秀之門而其主要人物有一條兼良、三條西實隆、壬生雅久等人而學風各異。其中，一條乃師承北畠親房之說，調和朱子學與日本神道，來建立其新神道之思想體系。一條係將其天皇傳位時所必須移交之三種神器⑱與智、仁、勇三達德相配，並以此三德為一心之作用，更以此三德之作用的合體為一心，言神道乃修明一心之道。一條的這種說法，乃完全站在朱子學的立場來解釋其神道者。故他以程、朱之語來解釋神之意義之功，在日本神道史上是難以磨滅的。

薩南學派乃系出元僧一山一寧之門的岐陽方秀之法孫桂菴玄樹為其始祖。前文已說桂菴曾隨其貢使天與清啓來華朝貢。他東返後，應薩摩藩主島津忠昌之聘，前往該藩講學而樹立此一學派。此派排斥漢唐古註，遵奉宋儒新註。其特色則係將程、朱之心性說與禪之見性融合而著重於精神修養，並且遵崇道義而重視忠孝。

南學派則南村梅軒於明世宗嘉靖二十七、八年頃（天文十七、八年，一五四八～一五四九），前往四國土佐（高知縣）遊歷後之所立。南村提倡道義，主張由禪法來求心明為要。亦即由禪法明心，學道義，並予實踐為其學問之特點。同時他也主張須排除萬難以貫徹道義，死而後已則是貫徹道義的方法。⑲

足利學校派採新古折衷方式，其第一任庠主快元之弟子柏舟，及十代庠主龍山，係將其研究之根本放在朱子學說方面。此派特長在於易學，將易學析爲義理之講解與占筮二科。其講《易》固爲新古折衷方式，卻將重點放在新註方面。然因此派係以講書爲主而陶冶精神方面則付之闕如，所以並無薩南、南學等學派之創出特殊風格來。並且又因出身本校之人士多係僧侶，故乍看起來，它對宏揚孔、孟之教的功效不大。不過那些僧侶在離校後散居於日本全國各地，故除其本身之僧職外，對散播儒家思想之功，也似宜給予應有之評價。

禪林儒學除影響中世公卿們之治學外，也對日本近世儒學造成影響。前此雖有人將日本中世禪僧所研究之宋學與一般世俗所鑽研之近世朱子學判然劃分之傾向，不過爲便於弘通禪宗與作爲說明禪理之手段而利用儒學的禪僧，與爲儒學而研究儒學的近世儒學家之間，其立場容或有相異處，然就如前文可知，其身分雖爲儒僧，但其研究儒學的態度卻與一般儒者難分軒輊。因此原爲方便弘通禪宗而研究儒學的，竟把它當作目的而樂此不疲，竟導致崇拜排佛者——朱熹之風氣昂揚。如桃源瑞仙所謂：

曾子傳孔子之孫子思，子思傳孟子，孟子歿而言性之事絕而不傳，故漢儒終不知性，而至宋儒始興之。……自宋濂溪先生周茂叔言太極後，始傳之二程。自二程至朱晦菴，而儒道一新。⑳

及季弘大叔在說明仁字時所謂：

仁也者何？人心也。濂洛諸君子以仁義禮智爲人之性，前人未發之鎬鍵也。紫陽朱夫子之言

曰：仁者愛之理，心之德，斯言盡矣。㉛

即可證明此一事實。這種美辭與前文所舉虎關師錬之譏朱子非醇儒較之何啻天壤？他們的這種宋儒觀與宋學觀，乃隨時代之推移而由批判變爲推崇。而此宋儒觀、宋學觀之變遷，乃與禪宗之親近理學而互爲因果，終於開展了禪林文學。就這點而言，日本中世的禪林文學與近世儒學之間的差異已被稀釋。所以在這種情形下，原爲京都相國寺僧侶的藤原惺窩之所以會還俗，㉜林羅山之所以會拒絕入建仁寺爲僧，㉝良有以也。

誠如芳賀幸四郎所說，藤原與林之還俗或拒絕爲僧，而以世俗之身來發揚程朱之學，實意味著擺脫禪林文學以研究宋學的一大進步。不過他們如無禪林長年累積下來的研究成果爲基礎，則其長才也未必能夠發揮得淋漓盡致。所以如果只想強調中世禪林文學與近世儒學之非連續，而急欲強調後者獨創性之一面，而忽略它與前者之連續及它所擔負之歷史使命，則僅能看到它們之縱的一面而已。更何況桂菴玄樹的禪林儒學曾確確實實直接影響其近世儒學。

桂菴曾補正岐陽方秀所爲《四書集註》之「訓點」而作《家法和訓》。此《家法和訓》經釋文之玄昌更正以後，便與博士家及五山派之訓點並駕齊驅而僅流行於薩摩南部。迄至近世初期的寬永年間（一六二四～一六四四），文之所點《四書集註》及《周易傳義》經由如竹刊行以後，其訓點便成爲最具權威者而被作爲範本。因此，經由岐陽、桂菴，文之所傳之禪林儒學給予近世儒學之影響是難於衡量的。㉞

五、結論

以上係就日本禪林接受宋元性理之學的心路歷程，及他們研究宋儒新註之儒家經典，尤其對《大學》三綱領八條目之理解與應用情形，禪林的經典研究對其博士之家與公卿社會所造成之影響等問題作簡單的介紹，以瞭解宋學東傳日域以後發展的情形之一端。

大家都知道，日本近世學術所受儒學之影響極深，就以提倡其皇道與日本精神之水戶學而言，此一學派的三宅觀瀾、栗山潛鋒、鵜飼錬齋、藤田幽谷、會澤正志齋等人莫不對儒學有很深的造詣。其祖述儒學而予以日本化，以貢獻彼邦思想界之許多學者，如上舉藤原惺窩、林羅山及山鹿素行、伊藤仁齋、荻生徂徠、中江藤樹、熊澤蕃山、太田錦城、三浦梅園等人，他們在朱子學派、古學派、陽明學派、折衷學派等名義下，使日域的哲學進步神速。即使以通俗為其宗旨的心學派，也都受宋儒學說之影響。此乃因理學重視人倫，知行合一，及行學一致，而與扶桑人士之向來重視的所謂日本精神大致相同，故頗獲彼輩之共鳴，乃致力於闡揚使之日本化，以期適合於彼邦之風土人情。就這點而言，日本近世思想史的泰半是由宋儒思想來充實的。㊎

由於孔、孟主張王道、仁義與經濟之倫理化，在宋代朱子時則又參酌佛教哲學之思惟法，使其理論更臻精微，故其有關倫理、道德的理論曾經震憾了日本的知識階級，而彼邦的儒學各派也積極的加以應用，並全面肯定宋儒之說而且醉心於此。於是從其近世初期至明治維新前夕，彼邦學者多傾心於宋學而將它應用於其學術、教育方面。其江戶幕府則更把朱子學立為官學，以為文教政策之根本。惟其如此，幕府曾在其寬政二年（清乾隆五十五年，一七九〇）發佈「異學之禁」，禁止非祖述朱子學說（朱子學派）之其他學派的學術活動。雖然其在民間的古學派之伊藤仁齋（京都。古義學——堀川學派），與荻生徂徠（江戶。古文辭學——園學派）的學風仍風靡天下，但朱子學說之在江戶時代風行日域二百六十餘年之久，乃不爭之事實。又，因朱子之學注重心性，所以它對扶桑人士之精神生活方面的貢獻良多，且對大義名分思想之普及亦良非淺鮮。即就此一方面而言，宋儒學說在近世日本的思想史上，實可謂居其核心地位的。

〔註釋〕

①：請參看鄭樑生，《元明時代東傳日本的文獻》（臺北，文史哲出版社，民國七十三年），頁四〇～四六。

②：請參看芳賀幸四郎，《中世禪林の學問および文學に關する研究》（京都，思文閣，昭和五十六年），頁二三～四二。

③：玉村竹二，《五山文學——大陸文化紹介者としての五山僧侶の生活》（東京，至文堂，昭和四十一年），頁三八。

④：《河南程氏遺書》第二，上。

⑤：同前註。

⑥：芳賀幸四郎，前舉書頁四七—四八。

⑦：《河南程氏遺書》第二，上。

⑧：芳賀幸四郎，前舉書頁四八。

⑨：《河南程氏遺書》第七。

⑩：《河南程氏遺書》第六。

⑪：武內義雄，《東洋哲學史（中國）》，收錄於岩波講座《東洋思潮》（東京，岩波書店，昭和九年），及《武內義雄全集》（東京，角川書店，昭和五十五年）。

⑫：《朱子年譜》所引《語錄》云：「某年十五六時，亦嘗留心於禪。」

⑬：《佛祖通載》。

⑭：北礀居簡，《北礀外集》〈儒釋合〉。

⑮：《無準語錄》卷六，〈入內引對陞座語錄〉。

⑯：虎關師鍊，《濟北集》卷一七，〈通衡〉二。

⑰：虎關師鍊，《濟北集》卷二〇，〈通衡〉五。

⑱：足利衍述，《鎌倉室町時代之儒教》（東京，有明書房，昭和四十五年，影印本），頁二二一。

⑲：請參看芳賀幸四郎，前舉書頁六二。

⑳：中巖圓月，《中正子》〈辨朱文公易傳重剛說〉。

㉑：中巖圓月，《中正子》〈問禪篇〉。

㉒：同前註。

㉓：義堂周信，《空華集》第十六，〈錦江說〉。

㉔：義堂周信，《空華集》第十七，〈文仲說〉。

㉕：義堂周信，《空華日用工夫略集》，應安四年（一三六八）卷末〈附記〉。

㉖：義堂周信，《空華日用工夫略集》，永德元年（一三八一）九月二十二日條。

㉗：義堂周信，《空華日用工夫略集》，永德元年九月二十五日條。

㉘：〈雲章禪師行實之狀〉

㉙：翺之慧鳳，《竹居清事》〈晦菴序〉。

㉚：季弘大叔，《蔗菴遺稿》〈東明說〉。

㉛：萬里集九，三體詩講義《曉風集》卷首語。

㉜：請參看芳賀幸四郎，前舉書頁六二～六七。

㉝：仲方圓伊，《懶室漫稿》卷五，〈野橋梅雪圖詩序〉。

㉞：翺之慧鳳，《竹居清事》〈太極說〉。

㉟：芳賀幸四郎，前舉書頁六六。德山宣鑑接得修行者，常縱橫用棒云：「得道，三十棒，不得，三十棒，速向道！速向道！」臨濟義玄則以一喝兩喝作用全體，而以四喝爲有名。因所謂四喝者「有時一喝金剛王寶劍，有時一喝如踞地獅子，有時一喝如揮竿影草，有時一喝不作一喝之用」。所謂「禾山打鼓」，乃禾山無殷之因緣。《碧巖集》第四十四云：「僧出問：如何是眞過？山云：解打鼓。又問：如何是眞諦？山云：解打鼓。又問：不問

即心即佛，如何是非心非佛？山云：解打鼓。又問：如何接向上來之人？山云：解打鼓。」乃從頭到尾的解打鼓。所謂石鞏之弓者，原爲獵人的石鞏，偶然與馬祖道一相遇，因而修禪，終爲馬祖之法嗣。當修行者入室時，石鞏常將弓拉得有如滿月，且上箭以瞄之，且言「看箭」以接得。德山之棒，臨濟之喝，禾山之解打鼓，石鞏之弓，其接得手段雖異，卻是禪之整體作用，當體之本身。（芳賀氏同書頁七〇注⑨）

㊱：季弘大叔，《蔗菴遺稿》、《蔗軒日錄》，文明十七年（一四八五）九月二十六日條。

㊲：桂林德昌（？～一四九九）在其《桂林錄》〈除夜小參〉論禪宗之道統後云：「譬諸儒宗，則文武導其流，橫渠助其瀾，龜山揚其波。到朱紫陽，集而大成。」橫川景三亦在其《補菴京華集》卷一，〈程明道〉條謂：「自孔孟以來唯二程。」

㊳：咲雲，《古文眞寶抄》前集，〈朱文公勸學文〉條。

㊴：文之玄昌，《南浦文集》〈與恭畏阿闍梨書〉。

㊵：陳式銳，《唯人哲學》（廈門，立人書報社，民國三十八年），頁一。

㊶：朱熹，《大學章句》，收錄於《四書集註》（臺北，世界書局，民國四十六年，乙種本），頁一，「大學之道，在明明德」下之注。

㊷：月舟壽桂，《幻雲文集》〈綱叔字說〉。

㊸：岐陽方秀，《不二遺稿》卷下，〈明之說〉。

㊹：芳賀幸四郎，前舉書頁一〇八。

㊺：岑溢成、楊祖漢，《大學中庸義理疏解》（永和，鵝湖月刊雜誌社，民國七十二年），頁三五。

㊻：月舟壽桂，《幻雲文集》〈新甫字說〉。
㊼：岑溢成、楊祖漢，前舉書頁三五～三六。
㊽：陳式銳，前舉書頁八。
㊾：岐陽方秀。《不二遺稿》卷下，〈義海〉。
㊿：陳式銳，前舉書頁六～七。
51：宋天正，《大學今註今譯》（臺北，商務印書館，民國七十六年），頁四。
52：岑溢成、楊祖漢，前舉書頁四三。
53：陳式銳，前舉書頁七。
54：《大覺禪師語錄》卷下，〈示了禪侍者〉。
55：《佛光國師語錄》卷下，〈偈示糟屋三郎衛門〉。
56：義堂周信，《空華日用工夫略集》，至德元年（一三八四）十一月十日條。
57：雪村友梅，《岷峨集》卷上，〈三條殿頌軸序〉。
58：村菴靈彥，《村菴稿》卷下，〈居家四本補亡書後題〉。
59：《大學》〈傳之九章〉。
60：義堂周信，《空華集》第十六，〈心山說〉。
61：芳賀幸四郎，前舉書頁一〇七。
62：仁如集堯，《縷冰集》卷下，〈貞岳號〉。

⑥③：靈章之此一見解，亦爲足利衍述，《鎌倉室町時代之儒教》，頁三〇七～三七一，及芳賀幸四郎，前舉書頁一〇九～一一〇所介紹引用。

⑥④：將三綱領置於八條目之上，則：

三綱領	八條目
明德	格物
	致知
	誠意
	正心
新民	修身
	齊家
	治國
止於至善	平天下

⑥⑤：請參看宋天正，前舉書頁四。

⑥⑥：當室町幕府第三任將軍足利義滿想讀《大學》而徵求義堂周信之意見時，義堂對曰：「《大學》乃《四書》之一，唐人學《四書》者先讀《大學》。意者，治國家者先明德、正心、誠意、修身，是最緊要也。敢請殿下《四

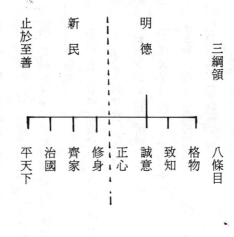

書》之學弗怠，則天下不待令而治矣！」（《空華日用工夫略集》，永德元年（一三八一）十二月二日條）。而義堂也曾說「《大學》、《中庸》最爲治世之書」（同上，二十七日條）。由此亦可知彼輩重視《大學》之一端。

⑥⑦：三條實隆，《實隆公記》謂釋一勤厚首座曾自延德三年（一四九一）六月十日起，至七月四日之間，在公卿近衛氏之宅第講授朱註《大學》五次。明應六年（一四九七）五月十八日，六月二日、七日、十一日則在其大內講解。而當時的博士家清原氏之講授《論語》、《孟子》時以古註爲主，並間採新註；《大學》、《中庸》則悉據新註，此係受其禪林之影響的結果。請參看芳賀幸四郎《東山文化の研究》，上（京都，思文閣，昭和五十六年），頁三～四九五。

⑥⑧：足利衍述，前舉《鎌倉室町時代之儒教》，頁七～九。

⑥⑨：《泉涌寺不可棄法師傳》。

⑦⓪：芳賀幸四郎，註②所舉書頁一四三。

⑦①：《花園天皇日記》，元亨三年（一三二三）七月十九日條。

⑦②：請參看《花園天皇日記》、《太平記》等書。

⑦③：桃源瑞仙，《百衲襖》第五。

⑦④：足利衍述，前舉書頁四九一。

⑦⑤：請參看芳賀幸四郎，註②所舉書頁一五一。

⑦⑥：足利衍述，前舉書頁三四五。

⑦⑦：同前。

78：三種神器，乃自古以來象徵日本皇位，而由其歷代天皇相傳下來的三件器物，即：八咫鏡、草薙劍、八瓊曲玉，其由來則見於《日本書紀》。其天皇如未傳受它們，則被視爲非正統。又，因鏡、劍、曲玉常從古墳出土，所以就被看作古代豪族的傳家之寶。而它們之成爲皇位之象徵，似乎是從七世紀開始的。

79：以上請參看足利衍述，前舉書頁三四五～三五三。

80：桃源瑞仙，《雲桃抄》〈報本章〉。

81：季弘大叔，《蔗菴遺稿》〈東明說〉。

82：藤原名肅，字斂夫，惺窩其號。出身貴宦之家。自幼入相國寺爲僧，學佛經，以俊秀見稱。後讀宋儒之書，服其性理之說，遂不慊佛敎之絕仁種，滅義理，乃還俗歸儒。且爲更鑽研，於明神宗萬曆二十一年（文祿二年，一五九三）啓程來華。途中，避風濤於薩摩（鹿兒島縣）山川港，偶得桂菴玄樹之「和點」經書而歸，遂提倡朱子學說。

83：如據《羅山年譜》的記載，則羅山在十三歲時，曾入京都建仁寺接受古澗慈稽之指導而有神童之譽。後來古澗與該寺僧侶商議，欲勸羅山出家，羅山乃潛回其家而誓不歸釋氏。該《年譜》又云：「（羅山）先生謂：常覽群書，其言皆有所由來，唯《五經》不然。則歷代載籍無不本於《五經》者。當世學者窺其末，不知其本也。初，余在東山讀唐宋詩文，歸家讀《三史》、《文選》，而後知其皆本於《五經》也。自是專志於經學。」

84：請參看芳賀幸四郎，註②所舉書頁一五四～一五五。

85：請參看高須芳次郎，《近世日本儒學史》（東京，越後屋書房，昭和十八年），頁一三～一四。

日本五山禪僧的中國史書研究

一、前言

日本人士之研究漢學曾經造成三個高峰，其一是自其奈良時代（七一〇～七八四）至平安時代（七九四～一一八五），亦即因受隋、唐文化之影響而興盛之以朝廷公卿、世家爲中心的宮廷文學。其二爲本文所提受宋、元文化之影響，盛行於鎌倉時代（一一八五～一三三三）末期至室町時代（一三三六～一五七三），以五山禪僧爲中心的禪林①文學。其三則是江戶時代（一六〇三～一八六七）受明、清文化之影響，以一般漢學家爲中心的儒林文學。無論哪一個時代，那些學者所閱讀之漢籍固以經書爲主，但他們對中國史乘亦或多或少的有所披閱。因此，本文擬就其禪僧閱讀中國史書之情形作一考察。文中所舉例子雖不多，據此亦可推知當時研究漢學之趨勢與研究方向轉變之關鍵。

二、日本古代的學制

自從中國學術於西晉武帝太康五年（應神天皇十五年，二八四）八月，由漢高祖之裔孫王仁作有系統的東傳以後，彼邦人士便以之爲日常生活應有之修養，更以閱讀中國經書作爲仕宦之敲門磚。②惟除儒家經典外，其他圖書亦被源源不斷的輸入，從而激起其閱讀漢籍之風潮。就史書而言，早在聖德太子（五七四～六二二）制訂〈憲法十七條〉時（六〇四）引用過《史記》，③而《史記》在當時的日本亦被目爲《三史》之首，於其紀傳道中最受重視。

無論中國或日本，學問與官途有不可分之關係，而此種情形由來已久，不侷限於今日。惟日本在其大化革新（六四五）之前尙無類似學校之組織，故其王族、公卿子弟之欲求學者必需詣學者先生之門受教。例如：中大兄皇子④、中臣鎌足⑤之隨南淵請安⑥學周孔之敎似的，此乃有類後世之家塾。迄至天智天皇之治世（六六八～六七一），爲培養官吏，乃以百濟人鬼屋集斯爲「學頭職」，且以高向玄理⑦、僧旻⑧爲國博士，創設相當於後世之大學的教育機構，而《懷風藻》⑨〈序〉所謂：「爰則建庠序，徵茂才。」即指此而言。《日本書紀》〈天武天皇紀〉有「大學寮諸學生」之語，同書〈持統天皇紀〉則有大學博士、音博士、書博士之名。由此看來，名爲大學的教育機構在七世紀後半已逐漸完備，終於形成有如文武天皇（八五〇～八五八在位）時所頒佈《大寶律令》⑩所顯示之形式。目前《大寶律令》雖僅有逸文被收錄於《令義解》⑪之中，可從大體承襲《大寶律令》之《養老律令》⑫

窺見其奈良時代的學制。

如據《養老令》，則京師有大學，地方有國學。大學、國學俱分爲明經、書、算三科。又如據《令義解》卷三，〈學令〉第十一之記載，則其入學資格爲：

凡大學生取五位以上子孫，及東西史部之子爲之，若八位以上子情願者聽其入學。國學生取郡司子弟爲之。並取年十三以上，十六以下聰令者爲之。

其規定雖如此，間亦以特別方式甄選。大學之名額四百人，國學則大國五十人，上國四十人，中國三十人，下國二十人。其經許可之庶民子弟亦可在國學就讀。

無論大學或國學，其所採用之教科書俱爲儒家經典，視每一經典卷帙之多寡而析爲大、中、小三經。大經爲鄭玄注《禮記》，服虔、杜預注《春秋左氏傳》。中經爲鄭玄注《毛詩》，鄭玄注《周禮》，鄭玄注《儀禮》。小經則爲鄭玄、王弼注《周易》，孔安國、鄭玄注《尚書》。凡有志仕宦者必需通二經以上。[13]此外，尚需修孔安國、鄭玄注《孝經》[14]，鄭玄、何晏注《論語》[15]。

上舉教科書目屬正科，其他圖書亦爲彼輩所閱讀，而《文選》、《爾雅》、《三史》諸書尤爲他們所重視。此可由《養老令》〈選敘令〉所規定：「進士取明開時務，並讀《文選》、《爾雅》者」窺見其端倪。《令義解》[16]卷三，〈學令〉第十一則謂：

凡學生雖講說不長，而閑於文藻（謂：閑者，習也；藻者，藻麗也），才堪秀才進士者亦聽舉送。

則當時除重視明經外，也還注重文章，此一傾向當受中國唐朝注重詩賦，而科舉須考詩賦之影響。日本當時的大學、國學，每年春秋二仲之月上丁釋奠於先聖孔子，其饌酒明衣所須俱用官物，⑰典禮後舉行講書活動。此事對彼邦儒學之發展自亦有推波助瀾作用。惟此一時期的學風傾向於政治、實學方面，故學者無不欲瞭解經書旨意以修養自己人格，增廣自己見識，故其儒學似乎尚未專門化。⑱

奈良時代的學制雖將其學子所學析爲明經、書、算三科，但明法、文章、紀傳之分科已開始萌芽，至平安時代則已判然而分。故其成爲六科而其所需攻讀之圖書，除上述者外，又增《公羊》、《穀梁》二傳，合稱《九經》。⑲

平安時代的學風猶如在其初期編纂《續日本紀》、《日本後紀》、《續日本後紀》、《日本三代實錄》、《文德天皇實錄》等「五國」史，及《弘仁格式》以下各種「格式」、法制之書似的，乃承奈良時代之遺緒而國家的、政治的色彩頗爲濃厚。故就一般而言，當時的漢學主流與其說是經學，無寧言爲包含史學在內的文章道。尤其自桓武天皇（七八一～八〇六在位）遷都平安京（八九四）以後，至醍醐天皇（八九七～九三〇在位）之治世的百五十年間，乃所謂漢文學隆盛期。此一時期的文章或漢文學之所以較經學（儒學）爲盛，當爲時代風尚使然。因平安中期以後，明經博士之勢力漸衰，於唐文宗太和八年（承和元年，八三四）廢除職司歷史故寔的紀傳博士，別設文章博士二人，使其兼攝紀傳道。明經博士之地位相當於正六位下，文章博士則自唐穆宗長慶元年（弘仁十二年，八二一）以後成爲相當於從五位下。於是天下人材皆集中於文章道而小野篁⑳、大江音人㉑、都良香㉒、菅原道眞㉓、紀長谷雄㉔、三善清行㉕之輩無不出身於此。而此種傾向，實與唐之舉修文館學士一以遴選擅長詩文者，且唐朝官吏多對詩文有造詣之事實有關。因文章博士兼攝紀傳道，故其經國濟民所必需之修史事業，亦多經由他們之手完成，惟明經道在當時依然存在。除上舉《九經》外，《老子》、《莊子》、《群書治要》、《顏氏家訓》諸書雖亦爲彼輩所喜讀，但更受其歡迎者，除作政治參考之《三史》外，尚有《文選》、《白氏長慶集》等。㉖

三、日本古代學術的家學化

日本古代雖模倣唐制，無論學子出身門第之高低，只要進入紀傳、明經、明法、算四道之一，修完各該道之課程，經考試及格以後便可擔任官職，惟與宦途的關聯上，日本的此一制度實與中國之制度有根本上的差異。亦即在中國所實施登用人材的科舉制度，在日本從未實施過。模倣學制而未將科舉付諸實施，當與其貴族階層之壟斷政治大權有密切關係。

中國的科舉制度由隋文帝楊堅於其開皇七年（五八七）令諸州每年貢士三人而開其端，經有唐一代而實施得相當徹底，至宋而臻全盛，形式則以清代最爲完備。惟在光緒三十一年（一九〇五）以後不復舉行。此一制度非僅大開登用人材之門，而且皇權得以藉此削弱世襲的勢豪、貴族之勢力，從而確立以官僚制度爲基礎的專制君主體制。日本的學校制度雖亦有經考試以進宦途之辦法，惟上述四道從平安時代以後開始盛行者爲紀傳（文章）道。結果，詩學、歷史學因而發達。就文章道而言，經考試及格以後就成爲擬文章生，擬文章生再參加式部省㉗所舉辦之文章生考試及格即成爲文章生。在那些文章生中遴選兩人爲文章得業生。此文章得業生再攻讀七年，經文章博士之推薦參加方略試及格者爲秀才，秀才經考試及格方得爲官，故其步上宦途的過程相當漫長而且艱辛。此種學校制度雖必需經過重重難關，然其與官吏任用關係方面早已具備使其成爲有名無實的條件。其所以使其淪爲有名無實的原因之一，就是其上層階級有所謂蔭子、蔭孫之特權，得不經由此種任用制度爲官。故此種制度在制訂之初，其大學、國學即僅具備培養下層官吏之機能。其因之二就是上述四道莫不以其博士家與若干特定家族相結合而家學化，致其私的要素非常濃厚。㉘故其學校制度雖標榜不分門第的登用人材，竟因古代氏姓制度㉙的殘存勢力仍根深柢固的留存於其上層社會而無法清除，遂致徒有良好制度而無法徹底執行。㉚

日本漢學至平安時代而顯著起來的就是上述四道之家學化。就文章道而言，文章博士由出身菅原、大江、藤原之式家、南家與北家之日野家人士擔任而以菅原、大江兩家爲中心，故其能爲秀才者自然侷限於此兩氏之一門或其門人。而其在此一時期新設之文章院的東西曹司，亦由出身於此兩家之學統的人士來擔任。尤其連續三代產生博士的菅原家，他首先將文章道作其家學，將其家塾稱爲「菅家廊下」。明經道亦早由中原、清原兩氏家學化。明法道在初時由惟宗、小野兩氏主宰，十二世紀以後則由坂上、中原兩氏獨佔博士榮銜。至於算道，則爲小槻、三善兩氏所佔據。故對其中下階層之官吏而言，大學或國學雖與其宦途有關，但並無掩覆整個官吏制度即爲官司制度之機能與意味。㉛

然此一制度在平安時代以後式微，式微的原因之一在於隨其國衙功能變質而失去實質上意義，亦即由中央派遣的教學人員陣容無法加強。就其可擔任諸「國」博士（醫師）之人員而言，其擔任「國」博士之學生的年齡必須在三十歲以上。在這種條件下，即使已經完成學業，也因年齡未到而無法就職，致難免受到清寒之苦。㉜故曾於唐德宗貞元五年（延曆八年，七八九）正月，廢除限制年齡之此一規定。惟在僖宗中和三年（元慶七年，八八三）十二月，卻又下令禁止非受業人員之爲國博士（醫師），而其規定復趨嚴格。但至昭宗乾寧二年（寬平七年，八九五）二月，竟又放寬規定，使苦住（無業）於學舍之大學典藥生與鴻儒、名醫之子孫，可經由推舉擔任諸「國」的博士醫師。㉝雖然如此，畢竟無法挽狂瀾於既倒。

就整個大學、國學之學制而言，經費短絀亦爲使其式微的理由之一。因爲當時漢學家三善清行曾於後梁末帝貞明元年（延喜十四年，九一四），向其醍醐天皇上〈意見封事〉十二條，言獎勵學生讀書的勸學田，與作爲大學雜費的諸「國」出舉㉞稻的數量減少或短缺，致即使改用供應稀粥亦無法使學生們溫飽。因此，有人事關係者雖能擔任官職，其無人事背景的便唯有飲泣返鄉。結果，大學雜草叢生，寂寥無人。㉟三善之言容或有若干誇張成分，但其所說情況之眞實性當八九不離十。就國學而言，其經費固由各「國」衙門財源中的「雜稻」來支應，惟當國衙經費已經用罄而入不敷出之九世紀末以後，在經濟上也迫使國學急速步上式微之途。當時雖亦有如石見「國」（島根縣）之置勸學田者，但此畢竟是少數，未必全國各地都能做到這一點。㊱

物極必反，乃自然趨勢。由於人們過慣太平日子，故日常生活愈益驕奢。興宅第，築別業，極園林泉石之巧。在此情形下，士大夫亦捨實學，廢吏務，修音樂容儀，弄浮文虛詞，而上下互競風流。貴都雅，兩船三船之遊，月卿雲客之稱，實乃言當時士大夫遊蕩歡樂生活者。㊲

後唐明宗長興年間（九三〇～九三三）以後，亦即朱雀天皇（九三〇～九四六在位）以後，京師徒成歌舞管弦之地，天下情勢為之一變。而後唐、後晉之際（天慶年間），東方有平將門之變，㊳西邊有藤原純友之亂。㊴圓融天皇（九六九～九八六在位）之時，則盜賊橫行於近畿。其後既有平忠常謀反，㊵復有前九年、㊶後三年之役㊷而世事多秋。然朝廷風氣卻愈益流於淫猥，恣私欲而道義毀。於是骨肉相爭，保元之亂㊸、平治之變㊹相繼蹈來。平氏雖因此得勢，卻難免亡秦之續。學藤原氏之榮華，失武勇雄風，終於淪沒西海（壇浦）而天下政權盡歸源氏（一一八五），誠可謂一葉落而知秋。㊺

天慶之亂，實暴露王綱凌夷之端，而其與政教隆汙之漢文學亦不得不傾向於衰頽之運。惟此一時期之前半尚能維持前期之流風餘韻。尤其能尊崇歷朝天皇之文學，故得維持其命脈於不墜。如：村上天皇（九四六～九六九在位）夙嗜文學，善詞藻，其為政與醍醐天皇（八九七～九三〇在位）並稱，故天曆（九四七～九五六）文學接跡於延喜（九〇一～九二二）。圓融天皇（九六九～九八四在位）亦好風流文雅，屢召文人賦詩。至於一條天皇（九八六—一〇一五在位）則尤好學而崇之，其詩藻尤勝人一籌，故其御製詩被存於《本朝麗藻》、《公類題古詩》之中。之後，後一條（一〇一六～一〇三五在位)、後朱雀(一〇三五~一〇四五在位)、後冷泉(一〇四五~一〇六八)、白河(一〇六八~一〇八六在位)諸天皇亦均用心於學業，故漢文學尚能維持於不墜。

得在此一提的，就是當公卿社會的學問成爲一家之專業而漢文學式微之際，在禪林，尤其在五山禪林之間卻興起研究此一方面之學術的熱潮。惟他們所研究的範圍相當廣泛，故下文僅就他們閱讀中國史乘問題作一番考察。

四、僧史僧傳之東傳

一向標榜以「教外別傳，不立文字」㊻爲宗旨的禪宗僧侶之何以對漢學表示關心，並進而熱衷於此種學術之研究，筆者已在《元明時代東傳日本的文獻——以禪僧爲中心》㊼，及本論文集所錄〈日本五山禪僧對宋元理學的理解及其發展——以《大學》爲中心〉㊽中有所論及，而日本學者亦有不少相關著作問世，故不擬在此贅述。

凡在勝義中的體驗，畢竟是屬於個人的，直覺的，體驗的智慧實難於大衆化。禪宗乃原以體驗爲基準的般若之宗敎，而它又只注重師資相承之行的宗敎，故它崇尙爲卓越之宗敎的個性所具體表現之主體的眞理之傾向甚於抽象的一般的眞理。禪，尤其是祖師禪，它對其六祖慧能、南泉普願、臨濟義玄等歷史的存在視爲事佛而眞理之被肉體化，亦即將他們目爲法之化身。因此，對他們的評價實較佛或菩薩的評價爲高。職是之故，禪僧對於《語錄》、《碧巖集》、《無門關》等所謂紀譚、警語集之類的圖書所表示之關心實遠較其對經律論等佛典所表示之關心更爲強烈。由於禪僧們重視其師資相承，自然使他們有意弄清自己所屬之法系與傳統。在這種情形下當宋朝盛行南北正閏論時，禪宗界亦受其影響而在其宗門法系上亦盛行正閏論。禪宗初傳至日本的南宋末年，因受前此已經東傳，且早已在彼邦落地生根，更擁有衆多信徒的舊佛教勢力之種種壓迫，因此，他們就非排除那些壓迫以開拓自己的園地不可。[49]

禪僧既然重視自己所屬法系及其傳統，而且又在宗門的法系上重視自己的正閏，乃自然而然的有如明菴榮西[50]之於其《興禪護國論》[51]中不得不回顧佛教史，而以史實作根據來爲自己的存在定位，並予以強調。於是禪宗社會便因回顧自己的道統法系而看開自己所處的地位，重新矜持且爲發揮自己長處，及關心當時自己所處的時代而重視佛教史——僧史、僧傳或宗派圖而加以探討研究。[52]此一事實可由日僧辨圓圓爾[53]於南宋理宗淳祐元年（嘉禎元年，一二四一）自中國攜回，經釋大道一以[54]整理編成的《普門院經論章疏語錄儒書等目錄》所紀：

傳燈錄一部三十冊	廣燈錄一部三十冊
續燈錄一部三十冊	普燈錄一部十冊
聯燈錄一部十冊	五燈會元一部十冊
寶林傳一部十卷	付法藏傳一部四冊
正宗記一部四冊	祖庭事苑四冊

宗門統要一部五冊　宗門類要一部八冊
僧寶傳三冊　宗派圖二冊
靈源僧史二卷　僧史略一卷
佛法繫年錄一卷　釋門正統四冊

等禪宗史、僧傳，或與一般佛教史有關之書目看出其端倪。而這些圖書在南宋末年，亦即在鎌倉時代中期已被輸入，此乃禪宗東傳以後不久之事而值得注意。

當時的日本禪僧所披閱者除上述諸書外，華僧一山一寧[55]的弟子虎關師鍊[56]在編纂《元亨釋書》[57]時曾經參考《梁高僧傳》[58]，而此書在日後亦爲彼邦禪林所閱讀。繼則《續高僧傳》[59]、《宋高僧傳》[60]、《釋氏六帖》[61]、《歷代編年釋氏通鑑》[62]等書亦爲彼輩研讀之對象。其在元代編撰的《佛祖歷代通載》[63]、《歷朝釋氏通鑑》[64]、《釋氏稽古略》[65]諸書亦在彼等披閱之範疇。而《佛法繫年錄》[66]、《隆興佛教編年通論》[67]等編年體佛教通史則爲釋義堂周信[68]及《蕉窗夜話》[69]、《宋僧法集》[70]諸書之作者所引用。至於《六學僧寶傳》[71]及明洪武二十六年（一三九三）付梓，萬曆二十八年（一六〇〇）重刊的《佛法金湯編》[72]，元末明初完成的《神僧傳》[73]，宋僧法雲所譯印度佛學名著《名義集》[74]等，也是他們閱讀的對象。至於《禪林僧寶傳》[75]、《僧寶正續傳》[76]、《景德傳燈錄》[77]、《宗門聯燈錄》[78]、《嘉泰普燈錄》[79]、《聯燈會要》[80]、《續傳燈錄》[81]等亦無不加以閱讀。結果，便有岐陽方秀[82]所著《禪林僧寶傳不二抄》，椿庭海壽[83]著《景德傳燈錄抄》，以及蒙山智明、古篆周印、笑山周念、叔英宗播等人之各有《五燈會元抄》⑧問世。

由此看來，中國刊行的此類圖書，他們幾乎全部閱讀過，而且曾經下過一番功夫。他們對中國禪宗史與一般佛教史的閱讀情形既如此，對中國正史的研究情形又如何？

五、中國正史之研究

直至目前，我們仍無法得知日本禪僧究竟從何時開始對中國正史寄予關心，或經由甚麼歷程使其從事此一方面之研究風氣昂揚起來。前舉《普門院經論章疏語錄儒書等目錄》雖臚列許多外典書目，卻未見《史記》以下各種史乘，則禪宗初傳日本之際，彼邦禪僧對外典所表示之關心，可能集中於經學而無暇顧及史學。直至被譽爲「教乘諸部儒道百家稗官小說鄉談俚語出入泛濫」⑧的浙江普陀山僧一山一寧於大德三年（正安元年，一二九九），奉元成宗之命東渡招諭日本以後，方纔造成他們對中國史籍表示關心之契機。⑧

五山禪僧既然對中國史乘表示關心，那麼他們對中國史書的看法如何？虎關師錬曾於其《濟北集》《通衡》之四謂：

夫《史記》者，經世之公典也。

又謂：

余詳太史公文，劉向、揚雄以下皆爲良史者，亦宜焉！

更謂：

> 遷也，博采諸記，察其志爲異俗之言，亦佳矣！

由此觀之，虎關不僅給《史記》以很高評價；而且也稱美司馬遷身爲史家之才華。其曾隨京都南禪寺慈照院之天岩牧中學《史記》的桃源瑞仙亦曾謂：

> 余嘗就慈氏牧中傳之，牧中師學此書（《史記》）。[87]

又謂：

> 余曾慨叢林入場屋之人，例皆其學不振，故此書（《史記》）副業。自學此以來看書無難者，實牧中師之恩也。[88]

亦即桃源因學《史記》而培養其閱讀漢籍之能力，從而奠定其對漢學的厚實基礎。[89]

當時除虎關師鍊、桃源瑞仙等名僧外，亦可從其他禪僧之著作《空華日用工夫略集》、《蔭涼軒日錄》、《蕉窗夜話》等禪僧著作中窺見他們的《史記》研究頗有心得。而釋萬里集九[90]所著詩文集《梅花無盡藏》第四所紀，僻處美濃（岐阜縣）鵜沼之一禪院藏有《史記》五十六冊。公卿三條西實隆[91]之日記《實隆公記》六十餘卷中所紀，京都東福寺僧大有和尚之持有《史記》與《史記源流》，及京都建仁寺僧月舟壽桂[92]之自明武宗正德十五年（永正十七年，一五二〇）十月至十二月之間講授《史記》，而三條西曾經前往聽講之事實，在在說明當時的五山禪僧對中國史學所表示之關心，以及他們對中國的此一鉅著已有相當之理解。[93]

五山禪僧除《史記》外，對中國的其他史乘亦有所涉獵。就《漢書》而言，虎關師鍊云：

> 《漢書》，又是班氏父子之所撰也。而八〈表〉、〈天文志〉，其妹曹大家所補也。[94]

虎關雖僅言《漢書》各篇什完成於何人之手而未作進一步之評析，亦未提及日域人士研究此書之情形，但釋月舟壽桂對此一方面之問題卻有較詳細之叙述云：

> 嗟夫！一百年前惠林泰（大）岳和尚，齡未若冠，遠（遊）關左，心學《漢書》，克篤其說，業成歸洛（京都）。至乎遊乎息乎之時，屢請此書，爲槧侮資。授諸的嗣妙智竺雲師。竺雲師相傳而常開講席。於是東西刹之僧攘袂而趨。吾邦書肆未鋟此書而上梓，以故筆而聞焉，句而點焉。壽星姪綿谷，親寫本文幷劉宋註而略舊註。然其點詳而功既全矣！（竺雲）妙智徒有甄叔陶者，全寫本文而談新舊註。然其點唯及半矣！其餘寫全部者往往有焉。[95]

這樣看來，日本五山禪林之《漢書》研究始自大（泰）岳周崇[96]，至竺雲等連[97]而風氣大開。文中所謂「江左」，係指現今橫濱一帶，而該地有金澤文庫。大岳周崇乃華僧一山一寧之法孫，亦即造成日本禪宗之黃金時代的夢窗疎石[98]之法嗣。相傳他年少而好學，曾於其青年時代自京都前往相模國（橫濱）披閱金澤文庫之藏書，後來因得室町幕府第三任將軍足利義滿[99]之崇信而先後擔任京都天龍寺、南禪寺之住持，及僧錄司等要職，且於公餘講授《漢書》與蘇東坡詩云。

當時研究《漢書》的日本禪僧，除上述諸人外，景徐周麟[100]對此一方面亦表示相當之興趣[101]，且曾於其所住之京都相國寺講解此書[102]，而萬里集九亦在其《梅花無盡藏》第三，下，明應八年（一四九九）己未條之開頭摘錄《漢書》〈高祖本紀〉二；同書〈列傳〉十三之文章與其註解。其後又紀錄居住紀伊（和歌山縣）之法號叫天裔的禪僧至萬里所居住位於鵜沼之草庵停留兩三年，其間曾一面聽萬里講解《漢書》，一面抄錄該書之〈帝紀〉十卷。[103]由此觀之，日本禪僧不僅閱讀《漢書》，而且對它也能作進一步之研究。

除《史記》、《漢書》外，《後漢書》以下各正史亦爲彼輩涉獵之對象。《濟北集》卷九，〈答藤侍郎書〉云：

> 《後漢書》，范曄之所集也，而曄令謝儼撰〈志〉，其文不傳。今之八〈志〉，合諸家也。謂：張衡、蔡邕、應譙、董巴、司馬彪等也。又，劉珍、李充等作〈儒林外傳〉，黃景作〈南單于〉、〈西羌〉傳。其餘諸傳多雜造。

此謂《後漢書》不成於一人之手，則虎關之《後漢書》研究兼及於每一篇什之作者方面的探討。至於有五山禪僧雙璧之譽的義堂周信，他曾經發現「田鵲」一詞出自《後漢書》而以之爲「杜鵑」之別名。[104]太極藏主則因自己無此書而向他人借閱。[105]

至於《三國志》等史乘，天隱龍澤[106]之《默雲詩稿》有〈讀三國志〉詩一絕。虎關師鍊曾經批判《晉書》〈列傳〉之人物取捨失當；[107]義堂周信爲作〈崑山說〉而從《晉書》找尋其典據。[108]月舟壽桂則謂紀陶淵明之操守的文字見於《晉書》、《宋書》。[109]夢巖祖應則引用《北史》〈蘇綽傳〉之句作〈秀峰說》。室町末期的彭叔守仙⑪⓪所著《猶如昨夢集》則引同書〈倭國傳〉所謂:「倭國有如意寶珠,夜則有光。新羅、百濟皆以倭爲大國,多珍物,並仰之,恆通使往來。」之句以作〈琛甫字說〉。海會寺住持季弘大叔⑪①則獲由壽侍者贈與之《新唐書》全部四十冊。⑪②至於《宋史》⑪③、《宋史略》⑪④、《元史》⑪⑤、《元史節要》⑪⑥諸書,也曾是他們閱讀的對象。

六、對中國正史之理解

上文所舉者乃日本五山禪僧閱讀中國正史之梗概,則他們在閱讀那些史書以後的心得又如何?虎關師鍊雖曾給《史記》相當高的評價,將它譬爲「經世之公典」,但對其篇什並未完全信服,以爲在〈仲尼弟子傳〉所見有關公孫龍與平原君之時代出於杜撰而批判謂:

太史公,自古爲良史,而可疑者多矣!⑪⑦

其對司馬遷贊李斯時所謂:

人皆以(李)斯極忠而被五刑死。察其本,乃與俗議之異。不然,斯之功,且與周、邵列矣!⑪⑧

則評其將李斯與周公、邵公作比較之非而謂:

嗚呼!遷也,何容易而發言乎?以斯比周、邵者,其論迂者甚矣!⑪⑨

而認爲根本不應將李斯與周公、邵公相提並論,且認爲其議論「不合道者不鮮矣!」⑫⓪又謂:

余讀《史記》,考〈武紀〉,宛似一個巫祝也。又見《漢書》〈武紀〉,可謂文明之主焉!何一主而二書相戾如此乎？[121]

以爲《史記》〈武帝紀〉與《漢書》〈武帝紀〉所記載之內容，尤其對武帝之爲人的記述大相逕庭而不無令人置疑之處。故他認爲其所以致此的原因在於：

蓋《史記》〈武紀〉亡，褚少孫補之。褚氏才薄，只取〈封禪書〉綴輯，故如巫祝傳也。班固，漢人也，備聞武帝事，又能尊其君。[122]

故他認爲：

執史筆者可不愼乎？不幸而上瞽史之筆者，爲可惜矣！[123]

虎關認爲不僅《史記》〈武紀〉的記述不及《漢書》〈武紀〉，其他若干篇什亦因褚少孫之補綴而減低其光彩云：

《史記》者太史氏司馬公父子之所編也，而其十篇有目無卷，所謂〈禮〉〈樂〉〈律〉書，〈三王世家〉、〈蒯成侯〉、〈日者〉、〈龜策傳〉也。褚少孫、段肅之輩，補綴尤卑俗。[124]

職是之故，虎關認爲史家應尊重史實，在史料價値的考證方面，應愼重其事[125]。

桃源瑞仙不僅在五山文學史上佔有一席之地，而且對《史記》也曾經下過很大功夫，故有《史記抄》十九冊之鉅著問世。當桃源纂輯此一著作時，曾經參考其師天岩牧中及其他先賢之註解，並廣泛引用《國語》、《戰國策》、《史記樞要》、《史記音隱》、《關中記》、《玉藻》、《會稽典錄》、《三浦決錄》、《三齋略記》、《劉向別錄》、《釋氏外傳》，以及各種詩文集來解釋《史記》各篇什，並加上他個人的見解。而他所引用之《三浦決錄》、《三齋略記》等書爲目前不易見到者而值得注意。

桃源在其《史記抄》第二卷卷末謂：

凡語學者，《六經》、《三史》爲體，諸子百家爲翼。是以見所未見之書，無不通者也。近世之學，則異于此。大抵率逐末而棄本者什八九矣！蓋便於製作吟詠也。雖然，每布一字，置一辭，往往不免差誤，則可無慚色哉？是浮華無實之罪也。

桃源以爲爲學者應以《六經》、《三史》爲體，諸子百家爲翼，方能有所成就，且從而批判時流之弊。由此可知，五山禪僧的《史記》研究，不僅爲滿足其對純歷史學與勸善懲惡之道學的興趣，而且因此書記載〈扁鵲〉、〈倉公〉、〈匈奴〉、〈南越〉、〈東越〉、〈儒林〉、〈酷吏〉、〈大宛〉、〈遊俠〉、〈佞幸〉、〈滑稽〉、〈日者〉、〈龜策〉、〈貨殖〉等列傳，而對其漢學研究產生百科全書作用。故無論在時間上或空間上，俱能擴大他們之學術修養的範圍而具有重要意義。(126)

五山禪僧之研究《漢書》者雖不及研究《史記》者多，但亦有相當成就。如虎關師鍊之〈蕭何論〉所謂：

人有知人之鑑者鮮矣！蕭何有知人鑑而不知道者也。(127)

漢世不踰二百，漢儒不逮三代者，皆何之罪也矣！(128)

及〈文帝論〉所謂：

漢文帝者，明主也。然我惜其不育材矣！……文帝好刑名學，薄于儒術。(129)

雖未有進一步之評語，卻也可從而窺知其對《漢書》所下功夫之一端。

虎關和尚研究《漢書》的情形雖如此，當時在此一領域有較傑出之成就者應首推竺雲等連。太極藏主云：

過北山之等持院，聽《前漢（書）》之講，〈公孫弘、卜式、兒寬〉之傳也。竺雲和尚博洽內外，尤善於漢史。無書則諳誦空授，其克熟如此矣！壯時叢社有同名者，時人喚和尚為漢書璉，以別之也。⑬⓪

由於竺雲等連所講授《漢書》卷五八，〈公孫弘卜式兒寬傳〉第二八異常精彩，故太極在聽此以後，也仍繼續前往聽講，從而自行研讀，並加句讀。⑬①太極之從事《漢書》研究固值得注意，但竺雲之能夠「無書則諳誦空授」，實不得不令人由衷佩服。因他對此書之造詣如此深，方纔有「漢書璉」之令譽，方能有對本書作深入探討的著作《漢水餘波》問世。

在《隋書》方面，太極藏主在其《碧山日錄》，寬正寅年（一四五八）四月十四日條云：

隋記曰：郡縣競務刻薄。民，外為盜賊所掠，內為郡縣所賦，生計無遺，加之饑荒無食。民，始采樹皮、葉，或擣為末，或煮土而食之。諸物皆盡，乃自相食。吏皆畏法，莫敢振（賑）救。余有視古慨今之嘆，仍書之。

寬正寅（二）年為日本發生應仁之亂⑬②的前六年，當時日本全國發生饑荒，庶民莫不苦於幕府及守護大名⑬③之橫征暴斂。太極和尚眼見人民陷於塗炭，遂有感而發，將《隋書》上的一段文字摘錄於其日記之上。我們由此不難窺見他對《隋書》之理解情形。[134]

至於其他史乘的重要傾向之一爲因受宋代史學的影響，而司馬光（一〇一九～一〇八六）之《資治通鑑》與其同一系統之書頗爲流行。而日僧玄惠法師之詳於《資治通鑑》，北畠親房[135]之得其蘊奧，乃《尺素往來》之所紀。事實上，《神皇正統記》[136]之受《資治通鑑》的正閏論與名分論之影響，乃衆所周知之事。司馬光的上述著作既然給當時的日本以重大影響，則其與此書之性質相近的圖書之爲禪僧所閱目，乃自然趨勢。因此，《大明一統志》[137]、《十七史通用》[138]、《十八史略》[139]、《十九史略》[140]、《通鑑總類》[141]、《續資治通鑑長編》[142]、《資治通鑑節要續編》[143]、《通鑑前篇》[144]、《資治通鑑綱目》[145]、《宋元通鑑》[146]、《史韻》[147]、《皇朝名臣言行錄》[148]、《唐才子傳》[149]諸書，亦分別見於彼輩著作之中。上舉錢諷正初撰《史韻》四十九卷，乃釋瑞溪周鳳[150]、季瓊眞蘂[151]奉室町幕府第八任將軍足利義政（一四三六—一四九〇）之命，計畫向明廷奏討者。[152]

七、結語

以上係就日本古代學制，登用人材方式問題談起，然後考察其官學式微及其古代學術家學化的原因，從而述及中國僧史、僧傳的東傳情形。以爲日本五山禪僧之所以研讀此類圖書，乃源於他們注重師資相承，重視自己所屬之法系與正閏問題所致。

當公卿社會的學問成爲一家之專業而僵化，步向式微之途時，在禪林，尤其在五山禪林之間興起了研究漢學之風氣，造成日本研究漢學的另一個高峰。他們除研究中國僧史、僧傳與經學外，也還對中國史書有所研究，但對其本國歷史卻不甚瞭解，致書寫此一方面的著作不多，唯有虎關師鍊在經過一番努力以後撰寫一部《元亨釋書》而已。[153]

〔註釋〕

①：禪林，又稱叢林、旃壇林。樹林叢聚之林的意思。僧衆和睦住居一處，有如樹林之靜寂。

②：請參看鄭樑生，〈漢籍之東傳對日本古代政治的影響——以聖德太子爲例〉，收錄於《中外關係史國際學術研討會論文集——思想與文物交流》（淡水，淡江大學歷史系，一九八九）。

③：同前註。

④：中大兄皇子（六二七～六七一），舒明天皇（六二九～六四一在位）之子。與中臣鎌足共同誅殺權臣蘇我入鹿於太極殿（六四五），立乃叔輕皇子爲孝德天皇（六四五—六五四在位），自爲皇太子。與中臣一起策劃大化革新，模倣唐朝之典章制度，銳意革新政治，奠定日本古代國家實施律令制度之基礎。後來登極爲天智天皇（六六八），在位前後僅四年而亡。

⑤：中臣鎌足（六一四～六六九），日本古代中央豪族。曾與中大兄皇子等人推動大化革新，打倒權臣蘇我氏。孝德天皇即位以後擔任「內臣」之職，與皇太子中大兄皇子同爲革新政府之重鎮，爲實施律令政治而努力。易簀時，天智天皇賜以大織冠之位及藤原朝臣之姓，成爲藤原氏始祖。

⑥：南淵請安，生卒年不詳。七世紀時的華裔僧侶、學者。曾以學問僧身分，於隋煬帝大業四年（推古天皇十六年，六〇八）隨其遣隋使小野妹子來華，唐太宗貞觀十四年（舒明天皇十二年，六四〇）東返。此後，中大兄皇子、中臣鎌足等人曾隨其學外典，故對革新政府之擬定政策自有所影響。後世有《南淵書》，乃好事者之所僞作。

⑦：高向玄理（？～六五四），華裔日人。隋煬帝大業四年，隨遣隋使小野妹子來華留學，唐太宗貞觀十九年（大化元年，六四五）東返。與僧旻同被命爲國博士，成爲革新政府之最高顧問。唐高宗永徽五年（白雉五年，六五四），以遣唐使身分再度來華而客死長安。

⑧：僧旻（？～六五三），日本古代華裔學問僧。隋煬帝大業四年，隨遣隋使小野妹子來華學佛及易學，前後長達二十四年。學成東歸以後講授《周易》，而中臣鎌足亦爲其學生云。大化革新之際被命爲國博士，爲其政府樹立八省百官之制。

⑨：《懷風藻》，一卷。日本奈良時代的漢詩集，完成於唐玄宗天寶十年（天平勝寶三年，七五一）。編者有淡海三船、石上宅嗣、葛井廣成諸說而未有定論。共收錄漢詩一二〇首。受六朝、初唐詩之影響頗深。

⑩：《大寶律令》，〈律〉六卷，〈令〉十一卷。文武天皇（六八三～七〇七在位）於唐睿宗嗣聖十七年（文武四年，七〇〇），命刑部親王、藤原不比等等人將天武天皇（六七二—六八六在位）時所制訂之《飛鳥淨御原令》加以擴充而完成於其翌年。成爲其實施《養老律令》（七五七）以前之「律令國家」的基本法典。其全文雖不存，卻可從《令義解》窺知其部分條文之內容。

⑪：《令義解》，三十卷。惟宗直本輯。完成於唐宣宗大中元年（八五九）至僖宗乾符四年（八七七）之間。此乃輯前此對令文所爲之種種解釋而成者，亦引用《大寶律令》注釋書之文字。現存二十五卷。

⑫：《養老律令》，《律》十卷，《令》十卷。日本律令政府的基本法典。唐玄宗開元六年，（養老二年，七一八），藤原不比等等人修改《大寶律令》而成。唐德宗至德二年（天平寶字元年，七五七）開始實施。其律文大都已佚亡，令文則除《倉庫令》、《醫疾令》外，多被收錄於《令義解》。其散佚之兩篇逸文則被收錄於《國史大系》之中。自古以來，其注釋書頗多，主要者有《令義解》十卷，《令集解》三卷。實際發生效用的期間約兩百年。十世紀以後逐漸僵化，但其形式卻維持到明治維新以後。

⑬：《令義解》卷四，《選叙令》第十二。

⑭：唐懿宗咸通元年（貞觀二年，八六〇）十月，改用唐玄宗御注《孝經》。

⑮：《令義解》卷三，《學令》第十一。

⑯：《令義解》卷四，《選叙令》第十二。

⑰：《令義解》卷三，《學令》第十一。

⑱：高田眞治，《日本儒學史》（東京，地人書館，昭和十八年），頁二七。

⑲：《延喜式》（國史大系本）《大學寮》條。

⑳：小野篁（八〇二～八五二），平安初期漢學家、歌人。擅長書法。曾參與編輯《令義解》。著有漢詩集《野相公集》，歌集《小野篁集》。

㉑：大江音人（八一一？～八七七），平安前期學者，文章生。歷任東宮學士、「參議」、檢非違使等職。無論文章、學識，無人能出其右者，大江氏家學之祖。曾參與編纂《文德天皇實錄》。著有《弘帝範》、《群籍要覽》、《江音人集》等，但均已佚亡。

㉒：都良香（八三四～八七九），平安時代漢詩人、學者。文章博士。富文才，除詩歌外，朝廷之詔敕，政府所發佈之命令多由其草擬。曾參與編纂《文德天皇實錄》。其文章被收錄於《都氏文集》，漢詩則被收錄於《和漢朗詠集》、《新撰朗詠集》等。

㉓：菅原道眞（八四五～九〇三），日本平安時代前期的公卿、學者、文人。賜太政大臣。唐昭宗乾寧元年（寬平六年，八九四）被命爲遣唐使，卻以經費籌措困難，唐朝已經式微，不足學習爲理由，建議停派此一使節。七年後，爲權臣藤原時平所中傷，被貶爲大宰權帥而死於九州。後世之人將其尊奉爲「天滿天神」（文學神）。曾參與編纂《日本三代實錄》、《類聚國史》、《新撰萬葉集》。著有詩文集《菅家文草》、《菅家後集》等。

㉔：紀長谷雄（八五四～九一二），平安時代漢學家。年輕時即爲文章生。唐昭宗大順元年（寬平二年，八九〇），經由「圖書頭」爲文章博士、「大學頭」。曾被推爲遣唐副使。著有漢詩文集《紀家集》。

㉕：三善清行（八四七～九一七），平安中期學者。出身文章德業生而升爲文章博士兼「大學頭」。去世前一年更升爲「參議」。

㉖：足利衍述，《鎌倉室町時代之儒教》（東京，有明書房，昭和四十五年），頁七〇～八三。

㉗：式部省，大化革新（六四五）以後所設八省之一，職司文官之考課、銓敘、禮儀、祿賜、學校、課賦等人事問題。

㉘：村井康彥，〈官學の衰微と家學の隆盛〉，收錄於《圖說日本文化の歷史》4，平安（東京，小學館，昭和五十四年）。

㉙：氏姓制度，以大化革新前之氏的組織爲基礎，而以姓來使其氏秩序化的政治組織。

㉚：同註㉘。

㉛：同前註。

㉜：同前註。

㉝：同前註。

㉞：出舉（suiko），日本古代以勸農、救貧爲目的而設之強迫貸放，有公出舉（kusuiko）、私出舉（sisuiko）兩種。不論農民願意與否，政府於每年春季將庫藏之稻穀強行貸與他們，秋收時附五成利息歸還。私出舉的利息更高，致加速了農民階層之瓦解。

㉟：同註㉘。

㊱：同前註。

㊲：同前註。

㊳：平將門之變，亦稱天慶之亂。平安中期發生於關東之叛亂（九三五）。以桓武天皇之子高望王爲祖的平將門，因乃父所留下之土地問題而與其族人發生爭執。後來卻演變成爲將門公然反叛朝廷而自稱「新皇」，設文武百官，但卒爲政府軍所敗而陣亡。

㊴：藤原純友之亂，藤原純友（？~九四一）被命爲伊豫掾（愛媛縣）而赴任，卻與瀨戶內海之海盜互相勾結而橫行於其任所附近海域，而爲紀淑人所平定（九三六），卻又以伊豫之日振島爲據點，劫掠官方與民間之船隻，更襲擊讚岐（香川縣）國司，覬覦阿波（德島縣）國司，終爲官軍所捕殺。

㊵：平忠常之變，平安中期發生於關東的叛亂。平將門之變以後，系出桓武天皇的平氏一族之勢力大增，而尤以忠

常爲最。不僅拒繳稅賦，又不提供勞役，更於北宋仁宗天聖八年（長元元年，一〇二八）在安房（千葉縣）叛變，終爲源忠信所捕，在械繫前往京都途中病歿於美濃（岐阜縣）。

㊶：前九年之役，平安後期發生於陸奧（東北地方）的叛亂（一〇五一～一〇六二）。

㊷後三年之役，平安後期發生於奧羽（東北地方）的叛亂（一〇八三～一〇八七）。

㊸：保元之亂，南宋高宗紹興二十六年（保元元年，一一五六），發生於京都之皇室與攝關家內部之武力鬥爭。此一戰亂成爲武士政權成立之契機。

㊹：平治之變，南宋紹興二十九年（平治元年，一一五九），源、平兩氏彼此殺伐。結果，平氏滅亡，源氏組織了鎌倉幕府（一一八五～一三三三）。

㊺：同註㉖。

㊻：禪家以爲敎家之人之只以經論文字或說敎爲主，爲有失佛敎之眞精神，故認爲眞佛法之正法並不依文字或經敎，乃以心相傳而重體驗。這種精神在菩提達磨將禪宗傳至中國時（五二七）即已存在。而它之被特別調，則爲唐代六祖慧能以下之南宗禪。本節取材於芳賀幸四郎，《中世禪林の學問および文學に關する研究》（京都，思文閣出版，昭和五十六年），第三章第一節。

㊼：鄭樑生，《元明時代東傳日本的文獻——以禪僧爲中心》（臺北，文史哲出版社，民國七十三年）。

㊽：請參看本書頁五三～八九。

㊾：芳賀幸四郎，前舉書頁一五八。

㊿：明菴榮西（一一四一～一二一五），日本鎌倉時代禪僧。日本臨濟宗開祖。備中（岡山縣）人。初學天臺宗。南

宋孝宗乾道四年（仁安三年，一一六八）來華學禪，以爲如欲復興天臺，須以禪爲助力。東返後，於孝宗淳熙十四年（文治三年，一一八七）再度來華，欲轉往印度求法未果，乃學臨濟禪於天臺山之虛菴懷敞而得其法脈。在華四年後回國，獲幕府之皈依。於寧宗嘉泰二年（建仁二年，一二〇二）建圓（天臺）、密（眞言）、禪三教一致之建仁寺。主張守戒律，藉以改革日本宗教界。著有《興禪護國論》、《出家大綱》、《喫茶養生記》等。

(51)：《興禪護國論》，三卷，明菴榮西著。爲開闢日本禪宗所爲之宣言書，乃在日本佛教史、思想史上佔有重要地位之劃時代的著作。

(52)：同註(53)。

(53)：辨圓圓爾（一二〇二～一二八〇），鎌倉時代禪僧。駿河（靜岡縣）人。初學俱舍、天臺，後至上野（群馬縣）長樂寺，鎌倉壽福寺學榮西派之臨濟禪。南宋理宗端平二年（嘉禎元年，一二三五）來華，參禪於徑山之無準師範而得其印可。淳祐元年（仁治二年，一二四一）回國。越明年，應公卿九條家之聘，在京都建東福寺。曾爲其後嵯峨等三位天皇授戒。獲幕府權臣北條時賴之皈依，曾經三度前往鎌倉，爲弘揚禪旨而奔波。圓寂後，敕諡聖一國師。辨圓之一派被稱爲東福寺派或聖一派。

(54)：大道一以（一二九一～一三七〇），日本臨濟宗聖一派。俗姓平。誕生於出雲（島根縣）。自七、八歲起即好坐禪。年十一，於故里之枕木山出家。十四歲，登京都比叡山受戒。因慕別傳之宗旨，乃拜光明院（岡山縣）之藏山順空而侍坐多年。後來隨侍建長寺之約翁德儉與南禪寺之規庵祖圓。祖圓寂後侍華僧一山一寧，然後歷參東福寺之南山士雲、乾峰士曇，至南禪、東福兩寺協助乾峰與虎關師錬。後聞虎關語而大悟，退休住東福寺永明院。曾經歷住東福、南禪諸寺。世壽七十九，法臘六十六。著有《赤肉團》（又名《大道和尚語錄》），及其親自書寫之《普門院經論章疏語錄儒書等目錄》。

55：一山一寧（一二四七～一三一七），臨濟宗楊岐派。臺州（浙江省）人。俗姓胡。嗣頑極行彌之法。元成宗大德三年（正安元年，一二九九），奉命持詔東渡招諭日本而終不回國。

56：虎關師鍊（一二七八～一三四六），鎌倉末期禪僧，對中國學術有精湛之研究。歷住三聖、東福、南禪諸寺。著有《元亨釋書》、《禪戒記》、《濟北集》、《聚韻分略》等。

57：《元亨釋書》，三十卷。虎關師鍊著。完成於元英宗至治二年（元亨二年，一三二二）。一～十九卷爲〈僧傳〉，二〇～二六卷爲〈資治傳〉，二七～三〇卷爲〈志〉。末附〈簡例〉、〈智通論〉，乃記述自佛教東傳日本以後，至鎌倉末期約七百年之佛教史者。

58：義堂周信，《空華日用工夫略集》，應安二年（一三六九）九月十八日條。《蔭涼軒日錄》，延德三年（一四九一）六月十四日條。

59：太極藏主，《碧山日錄》，寬正巳年（一四六一）三月二十九日條。

60：義堂周信，《空華日用工夫略集》，應安四年（一三七一）十二月十九條。

61：《蕉窗夜話》云：「《義楚六帖》亦在瑞溪刻楮中。」

62：《蔭涼軒日錄》，文明十九年（一四八七）三月十九日條。

63：瑞溪周鳳，《臥雲日件錄》第十九冊封面〈註記〉。萬里集九，《梅花無盡藏》第二，〈鍾馗贊〉；第四，〈讃盂蘭盆經〉。

64：義堂周信，《空華日用工夫略集》，應安四年四月十三日條。瑞溪周鳳，《臥雲日件錄》，第五十九、六十九冊封面〈註記〉。

⑥⑤：請參看《蕉窗夜話》。

⑥⑥：義堂周信，《空華日用工夫略集》，貞治六年（一三六七）〈追抄〉。

⑥⑦：義堂周信，《空華日用工夫略集》，應安四年四月二十日，永德二年（一三八二）四月三日條。《蕉窗夜話》。

⑥⑧：義堂周信（一三二五～一三八八），日本南北朝時代（一三三六—一三九二）臨濟宗僧侶。初期五山文學代表作家之一。號空華道人。土佐（高知縣）人。夢窗疎石之弟子。曾應武將足利基氏（一三四〇～一三六七）之聘至鎌倉。後返京都而頗得室町幕府第三任將軍足利義滿（一三五八～一四〇八）之信任，爲建仁寺住持。後來住南禪寺。與絕海中津（一三三六～一四〇五）同爲五山文學之雙璧。著有詩文集《空華集》，日記則有《空華日用工夫略集》。

⑥⑨：《蕉窗夜話》。

⑦⓪：瑞溪周鳳，《卧雲日件錄》，第十九冊封面〈註記〉。

⑦①：太極藏主，《碧山日錄》，長祿卯年（一四五九）十一月三日條。瑞溪周鳳，《卧雲日件錄》，寶德二年（一四五〇）八月七日條。

⑦②：《蔭涼軒日錄》，文明十九年（一四八七）三月十九日條。

⑦③：季弘大叔，《蔗軒日錄》，文明十六年九月八日條。《蔭涼軒日錄》，文明十七年五月二日條。月舟壽桂，《幻雲文集》〈富田慈源居士壽像贊〉。

⑦④：季弘大叔，《蔗軒日錄》，文明十六年十二月十六日，十七年正月二日、八日、二月四日、二十三日各條。

⑮：義堂周信，《空華日用工夫略集》，應安四年（一三七一）二月十二日，康曆元年（一三七九）二月三日條。瑞溪周鳳，《卧雲日件錄》，文安五年（一四四八）十一月二日，寶德二年（一四五〇）十二月八日條。
⑯：太極藏主，《碧山日錄》，長祿辰年（一四六〇）四月二十九日條。
⑰：義堂周信，《空華日用工夫略集》，應安三年（一三七〇）十一月二十日，五年七月三日；永德二年（一三八二）二月十八日條。瑞溪周鳳，《卧雲日件錄》，寶德二年（一四五〇）四月十八日，長祿二年（一四五八）四月十八日條。季弘大叔，《蔗軒日錄》，文明十六年（一四八四）四月七日、十二日，七月四日、二十一日，九月二十二日、二十五日，十二月二十三日；十七年二月十日，五月十四日；十八年正月七日，三月十一日各條。
⑱：太極藏主，《碧山日錄》，應仁二年（一四六八）九月二十四日條。
⑲：《蔭涼軒日錄》，文明十七年五月二日，延德三年（一四九一）十二月二十日條。季弘大叔，《蔗軒日錄》，文明十六年十二月二十三日；十七年三月十八日；十八年二月二十三日條。太極藏主《碧山日錄》，長祿卯年（一四五九）二月四日條。《鹿苑日錄》，明應八年（一四九八）四月二十七日條。
⑳：太極藏主，《碧山日錄》，應仁二年九月二十四日條。
㉑：義堂周信，《空華日用工夫略集》，應安五年（一四六八）八月一日條。瑞溪周鳳，《卧雲日件錄》，文安五年（一四四八）八月九日；寶德四年（一四五二）七月二十六日條。
㉒：岐陽方秀（一三六一～一四二四），臨濟宗僧侶。讃岐人。俗姓佐伯。號岐陽，稱不二道人。十二歲時，就安國寺靈源性浚得度受具，列南北講場學道學。後來往相模（神奈川縣）之諸禪匠處學禪。華僧天倫道彝奉明太祖之命使日時，曾就其問禪要。歷住讃岐道福寺，京都普門、東福、天龍、南禪等名刹。晚年退居東福寺栗棘庵，

建不二庵。明永樂二十二年（應永三十一年，一四二四）二月三日示寂。世壽六十四。岐陽擅長漢詩文、著有《不二遺稿》、《禪林僧寶傳不二抄》等。

83：椿庭海壽（一三一八～一四〇一），臨濟宗楊岐派。號椿庭，稱木杯道人。遠江（靜岡縣）人。幼時於相模（鎌倉）從華僧竺仙梵僊得度。貞和六年（一三五〇）來華，投空海良念爲藏主。在華二十六年，於明洪武六年（一三七三）回國後，應足利義滿之聘，住京都眞如寺。歷住淨智、圓覺、天龍、南禪諸寺。惠帝建文三年（應永八年，一四〇一）閏正月十二日示寂。世壽八十四，法臘六十九。

84：請參看《蔗軒日錄》，文明十七年二月四日條。

85：虎關師鍊，《濟北集》，〈一山國師行狀記〉。

86：芳賀幸四郎，〈公家社會の教養と世界觀〉，收錄於《東山文化の研究》上（京都，思文閣出版，昭和五十六年）。

87：桃源瑞仙，《史記抄》第十三，卷末〈識語〉。

88：同前註。

89：同註86。

90：萬里集九（一四二八～？），室町時代中期之禪僧。集九亦書如周九。擅長漢詩文，著有漢詩文集《梅花無盡藏》。

91：三條西實隆（一四五五～一五三七），室町時代公卿、歌人。歷仕後花園、後土御門、後柏原三天皇。內大臣。擅長和歌、書法及和漢學。著有《歌詠大概抄》、《裝束抄》；日記有《實隆公記》，及歌集《再昌草》。

(92)：月舟壽桂（一四六〇～一五三三），日本臨濟宗僧侶。號月舟，亦稱幻雲、中孚道人。近江（滋賀縣）人。出家參磯野楞嚴寺之正中祥瑞而爲其法嗣。得越前（福井縣）朝倉氏之保護，住越前之善應、弘祥二寺。其後住京都建仁、南禪諸寺。晚年隱居建仁寺妙喜庵之一華軒。曾應其宮中之聘講授杜詩及三體詩。以文筆著稱於五山文藝界。明世宗嘉靖十二年（天文二年，一五三三）一月八日示寂。世壽六十四。著有《月舟和尙語錄》、《幻雲文集》、《幻雲詩稿》、《幻雲疏稿》、《摩訶獅子吼集》等。詩文集則有《續錦繡段》。

(93)：同註(86)。

(94)：虎關師錬，《濟北集》第十九，〈通衡〉之四。

(95)：月舟壽桂，《漢水餘波》。

(96)：大岳周崇（四三四五～一四二三），日本臨濟宗夢窗派僧侶。字大岳，號金遇道人。俗姓一宮。阿波（德島縣）人。幼時即對禪表示關心。參寶陀寺之默翁妙誡。從默翁遷臨川寺，剃髮得度。除禪外，亦好外典之學，閱讀相模（神奈川縣）金澤文庫之藏書。且參諸寺名僧，致力修行。返京都後受黛翁之印記。因得幕府將軍足利義滿之崇信，於明惠帝建文四年（應永九年，一四〇二）擔任京都相國寺住持，其後至鹿苑院爲僧錄司。歷住萬年山慧林寺、靈龜山性智寺，晚年住天龍寺。明成祖永樂二十一年（應永三十年，一四二三）九月十四日，示寂於寶積寺。世壽七十九，法臘六十六。著有《前漢書抄》、《翰苑遺芳》、《三國合運圖》、《大岳和尙語錄》等。

(97)：竺雲等連（一三九〇～一四七〇），南禪寺住持，五山文學家。別號小朵子、自彊、繫雲。師事天龍寺大岳周崇。明永樂年間來華。回國以後講授《史記》、《漢書》。因其所爲《漢書》句讀與前此日域人士所爲者不同，故別稱爲《等連漢書》。歷住萬壽、相國、東福諸寺。明憲宗成化六年（文明二年，一四七〇）正月圓寂於伊勢

（三重縣），年八十一。著有《聚雲集》、《瓶梅》等。

(98)：夢窗疎石（一二七五～一三五一），鎌倉時代末期禪僧。初學天臺、眞言，後學禪宗而受學於華僧一山一寧、高峰顯日。曾經栽培春屋妙葩以下許多傑出僧侶，開展日本臨濟宗的黃金時代。著有《夢中問答》三卷。

(99)：足利義滿（一三五八～一四〇八），室町幕府第三任將軍。明太祖洪武年間（一三六八～一三九八）曾兩度遣使來華朝貢，均因無表文或書辭倨傲而見拒。迄至惠帝建文三年（應永八年，一四〇一），以祖阿、肥富爲正副使來貢，中、日兩國的官方往來方纔揭開序幕。越明年（永樂元年），成祖封他爲「日本國王」，並賜予金印、誥命，而義滿亦自稱「日本國王臣源道義」（道義乃義滿出家以後之法號），遣使來華，執臣禮甚恭，致引起彼邦日後學者之物議，至今仍餘波盪漾。請參看鄭樑生，《明史日本傳正補》（臺北，文史哲出版社，民國七十年），頁一八九～一九一，及《明代中日關係研究》（同上，民國七十三年），頁一三九～一八六。

(100)：景徐周麟（一四四〇～一五一八），室町時代禪僧，五山文學家。俗姓佐佐木。字景徐，號半隱。歷住等持、鹿苑諸寺。著有《翰林葫蘆集》、《日涉記》等。

(101)：《鹿苑日錄》，明應八年（一四九九）七月九日條謂：「景徐周麟曾將劉宋刊本之《漢書》一冊歸還禪昌院，且叮嚀該書之珍貴」。十二日條則紀謂：「夢見與漢高祖對談，如讀《漢書》。」

(102)：三條西實隆，《實隆公記》，永正五年（一五〇八）十月二十七日條

(103)：萬里集九，《梅花無盡藏》第三，下，明應八年（一四九九）己未條云：「勢陽之從宗天裔侍史，借余之梅扉，麈殘沓，挑檠暈隔年。其中自描《前漢史》之〈帝紀〉十二卷，傾耳於余之胡亂之三寸，垂涎於朱墨之舛差，猶如李唐之張巡讀《漢書》不錯一字也。」

(104)：義堂周信，《空華日用工略集》，貞治六年（一三六七）〈追抄〉二月十九日條。

(105)：太極藏主《碧山日錄》，長祿卯年（一四五九）二月十日條。

(106)：天隱龍澤（一四二二~一五〇〇），京都建仁寺禪僧。原爲播磨（兵庫縣）揖西郡路旁之棄兒，爲慈恩寺僧所鞠養。十歲時往京都東山，爲寶州和尚侍童，薙髮受具。博覽群書，爲天柱和尚法嗣。曾住京都建仁、南禪諸寺。明孝宗弘治十三年（明應九年，一五〇〇）九月二十三日示寂，世壽七十九。著有語錄《翠竹眞如集》，及詩集《默雲稿》。

(107)：虎關師鍊，《濟北集》第十九〈通衡〉之四曰：「《晉書》〈張輔傳〉論遷、固之優劣，以數事而嘉馬焉！予以爲馬、班不可相比矣！而輔何取遷者之瑣屑耶？……余讀《晉書》〈藝術傳〉，佛圖澄、鳩摩羅什在焉！掩卷曰：史筆其難矣夫！其良史之傳人也，取其大者，略小者，法也。《晉史》取二公小者，何乎？」

(108)：義堂周信，《空華日用工夫略集》，康曆二年（一三八〇）九月十日條。

(109)：月舟壽桂，《幻雲文集》雜文，〈畫菊〉。

(110)：彭叔守仙，（一四九〇~一五五五），臨濟宗僧侶。信濃（長野縣）人。號彭叔，別號瓢庵。歷住東福、南禪、崇壽、慧雲諸寺。著有《鐵酸餡》、《猶如昨夢集》。

(111)：季弘大叔（一四二一~一四八七），別號蔗菴或竹谷，備州（岡山縣）人。師事建仁寺之竹菴大緣而嗣其法。爲和泉（大阪府）堺之海會寺住持。明憲宗成化二十三年（長享元年，一四八七）八月七日示寂，年六十七。詳於諸子百家書，對朱子學之造詣尤深。常講授《大學》、《論語》，享有文名。有《蔗軒日錄》、《蔗菴遺稿》等。

(112)：季弘大叔，《蔗軒日錄》，文明十八年（一四八六）四月七日條。

⑬：太極藏主，《碧山日錄》，寬正巳年（一四六一）三月二十九日條。
⑭：《蕉窗夜話》。
⑮：萬里集九，《梅花無盡藏》第六，卷末。《蕉窗夜話》。
⑯：太極藏主，《碧山日錄》，長祿卯年（一四五九）九月一日條云：「覽《元史節要》，載本朝之事多矣！」桃源瑞仙，《史記抄》，〈蘇秦列傳〉第九。
⑰：虎關師鍊，《濟北集》卷九，〈答藤侍郎書〉。
⑱：司馬遷，《史記》卷八七，〈李斯列傳〉〈贊〉語。
⑲：虎關師鍊，《濟北集》卷九，〈答藤侍郎書〉。
⑳：同前註。
㉑：同前註。
㉒：同前註。
㉓：同前註。
㉔：同前註。
㉕：同前註。
㉖：芳賀幸四郎，前舉書〈五山禪僧の教養と世界觀〉
㉗：同註⑲
㉘：同前註。

(129)：同前註。

(130)：太極藏主，《碧山日錄》，長祿卯年（一四五九）五月十日條

(131)：太極藏主，《碧山日錄》，長祿卯年五月十七日、二十二日、二十四日，六月九日，八月十七日，十九日，九月十四日；寬正午年（一四六二）十一月十二日、十七日各條。

(132)：應仁之亂，室町時代末期發生於京都一帶的大亂。室町幕府原本對各守護大名——諸侯無強大的統御力量，尤其在中期以後，常因有勢力的守護大名之叛亂而不知所措。加之，秕政不斷、腐敗，以及農民之以武力抗拒橫徵暴斂，致幕府的統御力日益減弱。在另一方面，各勢家爲繼承人問題所帶來的內部傾軋亦接連不斷。當此之時，適逢將軍家與「管領」畠山、斯波兩家亦由於繼承人問題而發生爭執，而有勢力的守護們遂藉機互爭雄長。明孝宗成化三年（應仁元年，一四六七），天下分成東西兩大陣營作戰而波及於地方。此一內亂經十一年方纔結束。結果，京都因戰亂而夷爲平地，幕府權威掃地，但地方上的守護勢力卻因此增強，從而促進了「戰國大名領國制」。又，因公卿們爲避亂而疏散至地方，地方文化遂從而得以發展。

(133)：守護大名，守護乃鎌倉、室町幕府的職稱。在南北朝、室町時代，由幕府將軍足利氏所任命統治某一「國」之守護，謂之守護大名。

(134)：同註(126)。

(135)：北畠親房（一二九二～一三五四），日本南北朝時代的貴族、武將。樹立南朝之功臣。南朝之政治、軍事方面的中心人物，對伊勢神道的造詣亦深。

(136)：《神皇正統記》，北畠親房著。原書可能爲二卷，一般通行本爲六卷。記述自日本神代起，至後村上天皇（一三

三九～一三六八在位）以前之歷代天皇的事蹟，與歷史之演變情形，從而強調其南朝之正統性，它給後世日本人之國體觀很大的影響。

137：月舟壽桂，《幻雲文集》〈鶴字銘幷序〉云：「吾近覩《大明一統志》。」

138：《蕉窗夜話》。

139：瑞溪周鳳，《臥雲日件錄》，第五十四冊及第五十六冊封面之〈註記〉。桃源瑞仙，《史記抄》第二，〈吳太伯世家〉第一。

140：《鹿苑日錄》，明應七年（一四九八）二月十一日條。桃源瑞仙，《史記抄》第二，〈吳太伯世家〉第一。

141：《蔭涼軒日錄》，延德元年（一四八九）十一月朔日條。

142：桃源瑞仙，《史記抄》第二，〈周本紀〉第四。

143：同前註。

144：桃源瑞仙，《史記抄》第二，〈始皇本紀〉第六、七。

145：太極藏主，《碧山日錄》，長祿卯年（一四五九）七月六日條。

146：瑞溪周鳳，《臥雲日件錄》，寬正五年（一四六四）七月十四日條。《蔭涼軒日錄》，寬正五年七月八日條。

147：太極藏主，《碧山日錄》，長祿卯年七月六日條。

148：太極藏主，《碧山日錄》，長祿卯年八月九日條。

149：《蔭涼軒日錄》，明應二年（一四九三）七月十日條。

150：瑞溪周鳳（一三九一～一四七三），室町前期之臨濟宗僧侶。和泉（大阪府）人。頗得幕府第八任將軍足利義政之信任而當僧錄司。擅長漢詩文。編有外交文書集《善鄰國寶記》，著有《卧雲日件錄》。

⑮：季瓊眞蘂，生卒年不詳。室町時代禪僧。播磨（兵庫縣）人。俗姓上月。曾師事叔英宗播，爲京都相國寺蔭涼軒「留守役」而自稱軒主。干預幕府政治而被目爲引起應仁之亂的元兇。《蔭涼軒日錄》之部分文字即爲其所紀錄。

⑯：瑞溪周鳳，《善鄰國寶紀》，寬正四年（一四六三）〈遣明表〉。

⑰：虎關師錬，《元亨釋書》，卷三〇，〈序說〉云：「佛法入斯土以來七百餘載，高德名賢，不爲不多。而我（日本）國俗醇質，雖人才碩筆，未暇斯擧矣！其間別傳、小記，相繼而出，然無通史矣！」

日本漢學家狩野直喜及其《中國文學史》

前清穆宗同治七年（日本明治元年，一八六八）二月十一日，日本九州北部的熊本市誕生了一位後來在東瀛漢學界放出萬丈光芒的學者——狩野直喜（字君山）。由於他，日本人研究中國文學的方法與態度完全改變了。

日本明治六年，維新政府的大臣西鄉隆盛①因提倡「征韓論」②沒能成功，憤而下野。明治十年（清德宗光緒三年）七月，他發動了反政府暴亂——西南戰爭。這場戰爭雖只兩個月就平定，但戰火已蔓延到九州北部，使熊本市成了廢墟。當時，熊本有個學者名佐佐友房，目睹戰亂慘狀，認爲唯有教育，才能使人明辨是非，安守本分，乃斥資興學，創辦一所命名爲「濟濟黌」的學校。「濟濟」是根據《詩經》〈大雅·文王〉篇「濟濟多士，文王以寧」而來，「黌」即是學校。教育方針是：一、正倫理，以明大義；二、重廉恥，以振元氣；三、求知識，以進文明。凡是在那裏求學的，都必須閱讀藤田東湖③及「水戶學」④的著作。因此，濟濟黌的學生都有水戶學的學問基礎。日皇侍讀元田永孚⑤曾對明治天皇（一八六七～一九一二在位）說，濟濟黌是爲培養明辨「大義名分」學生而設的私立學校；明治聽了頗爲嘉許，特別賞賜濟濟黌五百日圓獎金。

狩野十二歲就進入濟濟黌求學，日後頗負盛名的漢學家古城貞吉就是他的同班同學。據說狩野在那個時候已對中國文學有偏愛，尤長於近體詩。

濟濟黌的學生崇尚勤儉，不講究衣著。狩野更是不修邊幅，以髒出名。據說狩野在就讀高中的時候，曾經有三個月未入浴的紀錄，以致身上長了蝨子，他就索性脫下衣服，要用石頭把牠們打死。由於他髒得出奇，所以有個洋人教師非常討厭他。

狩野十七歲時離開濟濟黌，前往東京神田共立學校（後來改稱開成學校）就讀。兩年以後，結束該校課程，考取「大學預備門」（第一高等學校）文學科。他從東京帝國大學文學科畢業，是在二十五歲那年。畢業後，在該校大學院（即研究所）繼續深造，以滿足他的求學志趣。

狩野在大學預備門期間，曾努力學習英文。這對他日後閱讀西方學者的漢學著作，有很大幫助。他在東京大學肄業時，曾受名儒島田重禮⑥、根本通明⑦、竹添進一郎⑧等人指導。島田講授《詩經》與《中國文學史》，根本開《周易》課程，竹添則主講《左傳》。這三位教授之中，最受狩野敬佩的則是島田。

狩野不隨便批評人，但反對只圖涉獵而不求甚解的讀書方法。他以爲讀書須有「心得」，要瞭解作者的心意，雖一字一句也不苟且。他就是用這種方法，逐漸擴大了閱讀的範圍。他不但對我國詩文有相當造詣，寫作詩文的技巧也在江戶（日本東京舊稱，一八六八年改爲東京。）儒者之上。他認爲除非自己實際從事寫作，很難完全瞭解前人的作品，也很難有心得。這是他的主張，也是他研究我國文學的方法。

狩野在濟濟黌求學期間，學問已有相當基礎。他在晚年時曾對人說過：「在故鄉時，我的學問大致已完成。」他在東京大學文科大學院肄業的時候，那大學裏漢學教授的重鎮是井上哲次郎⑨。狩野以爲井上的講授兼涉東西兩洋之學，學問非但止於撫摸中國文學的表面，而且令人有粗疏散漫之感。同時他又認爲曾在「昌平黌」⑩執教過的島田重禮所祖述的，在當時日本不但屬於最新的學問——清朝樸學，而且又著實地接近中國文學的本質，所以他就一味的與島田接觸。他覺得竹添進一郎的學問沒有系統，根本通明的學問又過於武斷，因此並未由衷的佩服他們。也許他與井上、根本、竹添等主要教授疏遠，才使得他在大學畢業後的幾年間很不得意！雖然如此，反而使他有機會涉獵更廣博之學問。

明治三十三年（一九〇〇），狩野被預定爲新設的京都大學教授，而被派到中國留學。他先後在北京、上海停留了三年之久。雖然其中有一段時間因逢八國聯軍之役，蟄居在日本駐清大使館裏；他總得有機會接受清末學風的感染，接受中國文化頗深的薰陶。因而使他成爲能在日本大學裏講授《中國小說戲曲史》，以及上課時能用中國語讀中國作品的第一個日本漢學家。狩野非但能說中國話，對英、法兩國語言的造詣也很深。他還擅長中國的書法。他初學清朝劉墉、翁同龢的字，後來見到魏碑的字體雄勁遒拔，才改學魏碑。從此，他的字體才完全脫離日本人的窠臼。若借用東北大學教授桑原武夫的話，那麼他的書法該是「重厚而清新，雄渾而豔麗」的。

狩野在留華期間，除了獲得親自體認中國文化的獨特性及其價值的機會外，在上海期間，曾時常與《清朝王室的社會》(The North China Branch of the Royal Asiatic Society)的作者，即西方所謂的「漢學」(Sinology)的第一個介紹者在一起。因此，他更得到了透過西方人的眼光來考察中國文化之獨特性的機會。

明治三十六年，當狩野由中國回到日本時，預定創設的文科大學尚未開辦，他的老友鳥居赫雄曾勸他當《朝日新聞》的記者，可是他寧願在京都大學附屬圖書館從事抄寫卡片的工作。直到日俄戰爭(一九〇四～一九〇五)結束，日本因戰勝而獲得賠款，政府的預算寬裕，才重提設立文科大學之議，而積極籌備；狩野即其籌備委員之一。

狩野從中國的文化裏發見了新的價值——尊重感性。他認爲過去日本漢學界的傾向是不正確的。他對「經書」的解釋，只尊崇漢魏的「古書」及唐人的《正義》，而不喜歡以朱熹爲中心的宋儒之學。因而疏遠以往日本漢學家所依據的東西。

排斥以往日本漢學界的偏頗，使它接近了中國本來的面目；這是狩野努力的方向，也是他研究我國文學的方法之一。他的高足吉川幸次郎⑪說：

狩野之所以能夠如此，可能是受到他故里熊本藩細川氏學風的影響，不侷限於狹隘的朱子學之故。除此以外，他就讀東京大學時的恩師島田重禮研究中國文學的態度，也可能對他的研究方向有很大的影響力。後來他留學中國，更堅定了他的這種立場。

昭和三年（一九二八）二月，狩野年滿六十，從京都大學退休。他的親友和學生們組成「還曆記念會」，爲他編纂紀念論叢，刊行《舊鈔本禮記正義》，給他祝壽。他的同事內藤虎次郎⑫撰《舊鈔本禮記正義》〈跋〉，曾說：日本的漢學家自伊藤仁齋⑬、荻生徂徠⑭以後，能夠保持這種風氣的，只有狩野而已。內藤說狩野的成就是：「……旁通西學，其爲學之法之深微綿密，可以彌補東方之罅漏。又他擇言至精，能排斥雜糅之弊，而使學者知所歸趨。」

狩野曾經祖述顧炎武著《日知錄》的時代精神，勸其學生們不要讀日本人所寫的中文，要徹底熟讀中國人的文章，然後進一步探討其所以產生那種作品的時代背景。他對於政治方面的知識也非常豐富，所以被認爲可與這方面的專家媲美。他曾對吉川幸次郎說：「我因爲當了教師，所以除司馬光的《資治通鑑》外，幾乎沒有時間把大部頭的書籍過目。」吉川認爲這句話的前半係言其自信，後半則屬自謙之辭。據說狩野熟讀班固的《漢書》，對於前漢與後漢雖是連續的王朝，他認爲其時代精神卻是對立的。他的這種見解，在他後來所編的《兩漢學術考》中顯得更爲成熟；他在《中國文學史》書中就已經提到這點了。吉川以爲狩野的這種看法，與內藤虎次郎之將前漢列爲古代，將後漢納入中古的說法，不謀而合。狩野畢生研究《禮記》，日本人雖把讀《禮記》視爲畏途，他卻曾在這方面下過不少功夫。吉川說：

狩野在年輕時曾對法制史發生興趣。所以當他留學中國東歸以後，在等待京都大學文科大學開辦期間，臺灣舊慣調查會的報告之一的《清國行政法》，便是他以加藤繁爲助手而完成的有關法制史的未署名著作。

昭和二十二年（一九四七）十二月十三日，狩野以八十歲高齡去世。他在世時，除了在學校講課外，幾乎把所有的時間都放在研究中國文學方面，可是他的著作並不多。據說他之所以疏於執筆，實在由於他的一個主張使然；這個主張是：身爲教師的，應當把所有的精力都集中在講義上面。他的講義在他逝世以後刊行的有《中國哲學史》（岩波書店，昭和二十八年）、《兩漢學術考》（筑摩書房，昭和三十九年）、《魏晉學術考》（筑摩書房，昭和四十年），以及擬在此介紹的《中國文學史》（三鈴書房，昭和四十五年）等。

×　×

根據狩野本人的紀錄，他的《中國文學史》講義，是從明治四十一年（一九〇八）九月，京都帝國大學文科大學設置文學科時開始編寫的。狩野所編的這本講義，是爲適應當時日本大學制度所謂的《普通講義》（一般課程），也就是說，無論主修東方或西方，只要是哲學科或文學科的學生，都必須聽講的。

據說狩野之所以在哲學科及文學科擔任有關中國的兩門課程——「文學」與「哲學」，乃是由於他認爲文學與哲學並非中國文明的代表，而是這兩門學問彼此密切關聯存在而發展的關係。就學問的內涵而言，日本的漢學在明治以後，須要把「文學」與「哲學」分開來講授，狩野既主張將這兩門課程由一個人來講授，他也具備實踐這種主張的能力。吉川幸次郎以爲形成他這種主張的基礎認識，可以從他的《中國文學史》總論第一節〈中國文學的範圍〉中窺見一斑。

吉川幸次郎說：

> 狩野的哲學講義，從上古寫到清末，而這本中國文學史講義只談到六朝爲止。可能由於中國文學普通講義唐代以後的部分，是由當時的副教授鈴木虎雄所擔任的關係。因狩野曾把這門課程反覆講授了若干次，所以本書是他經過修改的許多份講義當中挑選出來付印的。這並不是說狩野在任職京都大學的二十二年當中，始終都擔任這門課程。他爲主修中國文學的學生開中國文學史特殊講義（專題講授）時，曾先後開過中國小說史（一九一六）、中國戲曲史（一九一七）、清朝文學（一九一八～一九二三）等課程。當他把自己講授的課程，逐漸移到唐代以後時，有關文學部分的普通講義，便完全交給鈴木虎雄負責了。

吉川又說：

> 這部半世紀以前的講義，實在是日本國內中國文學史講義的嚆矢。在這以前，雖有作者的青梅竹馬古城貞吉於明治三十年（一八九七）撰寫一部比較完整的，並且狩野在東京大學的前後期同學笹川種郎（一八七〇～一九四七）、久保得二（一八七五～一九三四，曾任台北帝國大學教授）兩人也有這方面的著作，但都未能獲得他重視。至於中國人自己開始寫中國文學史，實乃辛亥革命以後的事，⑮所以當狩野講授這門課程時，中國人還沒開始從事這種工作。至於西方，僅有英國人翟理斯

(H. A. Giles) 於一九〇一年發表「Chinese Literature」(《中國文學》) 一書而已。德國人韋古魯柏(Wilh. Grube) 所寫的中國文學史「Geschichte der Chinesichen Literature 1909」則尚未問世。因此，如果站在全世界的漢學界而言，狩野的這部講義，實堪稱爲中國文學史書的先河了。

吉川更說：

> 狩野以爲由於過去日本漢學家的任性，所以他們所選擇的中國文學，便遠離中國固有的價値標準，無法接近其本質。因此，看清中國固有標準，從而組織文學與哲學的歷史，便成爲狩野的工作。由此可知，狩野在這方面的選擇，與以往的日本漢學家有所不同。較顯著的差異，在於這部《中國文學史》的後半，從司馬遷起，至六朝徐陵、庾信等人的作品止。徐、庾等人作品之所以未爲狩野以前的日本漢學家所重視，且把它們看作墮落的文字而加以排斥，實由於他們偏重唐宋八大家文及《文章規範》的緣故。在當時，宣揚徐、庾等人作品價値的，並非僅有狩野而已，內藤虎次郎、鈴木虎雄諸人也曾爲之相呼應。但是居領導地位的，則非狩野莫屬。

被以往漢學家所忽視，而受狩野所尊崇的，是貫通於中國哲學與文學的主知性。他批評孔子說：

> 孔子的教學，主要先學作人，然後施之於事業，所以《論語》以〈學而〉爲首篇，其次〈爲政〉。禮、樂、射、御、書、數，當時一般教育（culture）都是超越衆人的。狩野的見解雖最接近於荻生徂徠，但徂徠以外的江戶儒者，或與狩野同一時期的漢學家，都缺乏這種見解。所以他的這種見解

吉川說：

可能比過去的日本人還要正確。

吉川幸次郎在本書〈跋〉裏說：

狩野這種見解，在他的中國文學史上，也倡導它的新價值標準。在狩野以前的日本漢學家所尊重的，就如賴山陽⑯所寫那種恣意發散感情的散文，或江戶末期的豔麗詩，而不祖述中國文學的核心部分的東西。然而狩野所喜愛的，卻是經過理性與知性錘鍊而成的綿密的詩文，亦即在其講義中時常提到的儒雅的文字。在這個時候，「儒」即意味著隱藏在作品背後的理性與知性；「雅」即由此而來的香氣。若以狩野所喜愛的字眼來表示，則「雅」便是「風神」了。包括荻生徂徠在內，以往日本漢學家所重視的明代文學，狩野以爲它們粗獷（sauvage）而頗感厭惡，所以他的閱讀範圍雖很廣泛，卻疏於翻閱明人的作品，並以此自豪。內藤虎次郎的見解雖也傾向於此，但狩野所樹的旗幟卻更鮮明！

狩野時常對人說：「我以未在中國出生爲憾。」吉川幸次郎以爲這句話是本著中國的價值標準來闡發中國文學的本質，而繼續努力獲有「心得」之人的興到之言。所以，這並非漫無目的、毫無意義的自我陶醉，乃是爲原原本本的瞭解中國所認識的價值而作的不斷努力的一種表現。

吉川又以爲將中國文明與其他地方的文明相比較，可藉以認識其特殊性，從而得知惟有在其特殊之中才有它獨自的價值存在。狩野在〈中國文學的範圍〉中說：

當我把中國文學作歷史的講述時，便首先想劃定中國文學的範圍；也就是說，在這裏作爲文學作品來處理的究竟是哪些。因為中國文學非但與英、德、法等國家的文學不同，且與今日我們對文學一詞所作的瞭解也大異其趣。

狩野在他的《中國文學史》〈總論〉中說，中國文學的特色有下列四點：

一、中國文學具有道德、政事的目的，是實用的。

二、在中國文學中所見到的思想，與其作者多無關而相當單調。其最費苦心之處，則為修辭上的技術。

三、中國文學的精髓在於古文，它至今仍支配著中國人的言語與思想。四、俗文學的起源最晚，尚未達到與古文分庭抗禮的地步。（筆者按：這話是在民國尚未成立以前說的。）

狩野說：

中國所謂的文人，就是指具有修辭上的技能的人，其思想不能脫離書中所包含的意義，所以其文章與只供人娛樂的風花雪月不同。必須是有益於世道人心的。

所以他在書中引用顧炎武《日知錄》所載：

文不可絕於天地間者，曰明道也，紀政事也，察民隱也，樂道人之善也。若此者，有益於天下，有益於將來。多一篇，多一篇之益矣。

他又為韓昌黎以一代文豪自居而作品卻不止於寫如〈原道〉、〈原毀〉、〈爭臣論〉、〈平淮西碑〉等與道德、政治有關的篇什，卻間作專為應酬的、無用的、阿諛的文字及墓碑等文章感到可惜。他認為：文學之術雖是多方面的，但其思想的本源則在於《六經》。他認爲中國的不朽詩人是杜甫；杜甫之尤爲後世所稱道，是在於他的作品能夠把三百篇作者的思想顯露出來。李白的性格與杜甫不同，他具有神仙的、遊俠的味道，並且有想脫離儒家思想的傾向。然而從他所歌「大雅久不作，吾哀竟誰陳」，或「正聲何微亡，哀怨起騷人」的句子裏，便可知道他也是以振作詩風，以還〈大雅〉之正聲爲其理想的。狩野又以爲今天我們雖以唐宋作家爲標準，但他們都各有所本，而以「經」爲基礎。也就是說，他們善讀經書，且又品嘗其妙味，然後脫胎換骨，推陳出新。狩野更以爲韓、柳的文章，絕不止思想得自《六經》，還得自顏之推《顏氏家訓》〈文章篇〉所謂「夫文章者，原出《五經》。詔命策檄，生於《書》者也；序述講義，生於《易》者也；歌詠賦頌，生於《詩》者也；祭祀哀誄，生於《禮》者也；書奏箴銘，生於《春秋》者也。」的作文方法。

狩野說：

> 曾國藩是中國近世能文之士，他將文章分爲十一類，且又在各類之前舉出經書一節，以示各種文體之所本。……由此可知，經書是中國文學的基礎，絕不能捨棄它。然若要把它們作爲經學來研究，就得首先明白其訓詁，進而探討其義理了。這須下綿密功夫。但如將它們作爲文學來處理時，則只要就文章的格式及修辭等加以體會，而瞭解它之所以成爲後世文學的典型就好了。

狩野更說：

> 中國的史學家以爲：即使對歷史的研究精密，把各種史實巨細無遺的記載下來，如果文辭不好，也

無法使它留傳後世。因此，他們在研究歷史的同時，也對修辭下苦功。結果，無論他記一國的治亂興亡，或敍述個人的傳記，其文章都有生氣，而使人有親歷其境、親見其人之感。如此，才算盡史學家之能事。然就正史而言，有憑一人之手完成的，有經數人之手編纂的。後世則每當發生革命以後，便開史館，召集儒臣，編纂戰勝者的歷史，如宋、元、明等朝代是。只因爲那些史書是由許多儒臣分手搜集資料，並經過研究後才予以編纂，所以其對史實的敍述雖很詳細，但所編寫出來的東西卻不能說是某某人的文辭。結果，整部書都毫無生氣可言。相反的，像《史記》或《漢書》，因由一人寫成，在《史記》裏便表露了太史公的特色，在《漢書》裏則表露了班氏的特色。只因爲它們把作者本身的人格表露無遺，才顯得生動有趣！

狩野以爲從修辭上所看到的，中國文學的長處有下列四點：

第一、中國文學富於莊重典雅的文字。譬如大臣穿朝服，戴冠冕，立於廟堂，使人不覺肅然起敬。這方面的文字，如《尙書》之〈典謨〉，《詩》之〈車攻〉、〈吉日〉，韓愈的〈平淮西碑〉等，均以莊重典雅取勝，這是中國文學的最大長處。

第二、中國文學富於雄偉宏壯的文字。這可能因中國有一望無垠的原野，有縱橫萬里的名山大川，影響了文人的氣魄所致。狩野引用蘇轍批評司馬遷的話，以證明這一點：

太史公行天下，周覽四海名山大川，與燕趙間豪俊交遊，故其文疏蕩，頗有奇氣。此二子者（包含孟子），豈嘗執筆學爲如此之文哉？其氣充乎其中而溢乎其貌，動乎其言而見乎其文，而不自知也。

（上樞密韓太尉書）

第三、中國文學富於悲壯慷慨的文字。叙述忠臣烈士從容就義之狀，躍然紙上。如《史記》中項羽垓下之戰，與虞姬之叙別，或〈刺客列傳〉荆軻入秦的一段就是。

第四、中國文學的長處在於含蓄。叙事有時僅用一二語而已，其不足之處則任憑讀者去想像了。雖然如此，其結果卻勝於詳說。先秦文學不乏此例，於《左傳》爲尤多。

這部《中國文學史》是狩野早年編成的，在他一生的成就中，可能具有某種特殊的意義。吉川幸次郎的〈跋〉說：

狩野在其一生中繼續保持著氣概軒昂的風神。他所喜愛的法語是raffine（洗鍊），所厭惡的是dilettanisme（粗獷）。他畢生並不避開塵俗以遊風雅，只是在晚年的時候將大部分的研究興趣集中於以價値爲重心的作品而已。然而他早年寫成的這部《中國文學史》則未必如此。例如他論經書文學，引用了在晚年很少提到的明人何楷之的《周易訂詁》及《詩經世本古義》。整個說來，這部書似乎有更大膽的羅曼蒂克（romantique）之感。

吉川又說：

覺得遺憾的是這部《中國文學史》的講稿常有缺漏，而其短缺的地方，多半是每一回講義的後半。

產生這現象的原因，狩野自己說：

那時候，已到夜闌人靜，還不能就寢；我不睡，内人也不能睡。因此，我的講義就變成這個樣子的。

狩野在臨終時，曾將一生所有的稿件託付吉川幸次郎，並且對他說：「如果你們認爲我的講義尙有可取之處，就把它們公開吧！」據說這部《中國文學史》之所以被付印，是受「三鈴書房」之請而爲。付印前的整理、校訂，則由作者的孫子，曾任神戶女子大學教授的狩野直禎負責，吉川幸次郎從旁協助。

三鈴書房向狩野直禎提出出版這部《中國文學史》的要求，是昭和四十二年（民國五十六年、一九六七）底的事。爲要出版這部書，狩野直禎除繕寫他祖父的遺稿外，又聽從吉川幸次郎的建議，向他祖父的門生借用當時聽講的筆記。結果，從青木正兒教授的遺族處借到了兩本。第一本從〈總論〉寫起，至《春秋公羊傳》爲止；第二本由《春秋穀梁傳》起，包括了《楚辭》。據說在這兩本筆記上都附有油印講義，而那些講義都被用別針釘在各該適當地方。直禎說：「本書第二篇以前的引用文章，都是借重這種油印的資料。」他又說他祖父留下來的《中國文學史》的原稿有下列四種：

一、從上古至前漢：這似乎是狩野起初爲講課而編的，章節的分法與青木正兒的筆記並無二致，只是其前漢部分，以作者來區分。

二、從上古至後漢：這好像是在日後數次的講課中補上去的。其先秦部分的補充特別多，後漢部分則用文體來區分。

三、六朝文學。

四、蒐集曹操的〈短歌行〉，嵇康的〈與山巨源絕交書〉，陸機的〈辨亡論〉，潘岳的〈悼亡詩〉諸首，分別加以解說而成。

狩野直禎與吉川幸次郎商量的結果，先秦部分的稿件係採用第一稿，兩漢部分則採用第二稿。狩野直禎說：

> 先秦部分以第一稿比較完整，並且可用青木正兒的筆記彌補其闕遺。兩漢及六朝的引用文章，則根據原講義，而以意補上的比較多。至於六朝部分的章節，如為原稿所無，便根據兩漢部分的體例補上去。

又說：

> 本書是把稿件整理完畢，並經過吉川幸次郎先生的校閱以後，才定稿付印的。最後部分的檢討完成時，已是一九六九年四月了。

由上述可知，狩野的這部《中國文學史》，其觀點不但已擺脫了江戶儒者的窠臼，而且回到中國固有價值的標準。編排的體裁與敘述的方式，雖與此間流行的本子有若干差異，但能以深入淺出的方式，將我國文學的源流作系統的介紹。同時，本書非只表現日本學者的精勤和綜合力，而且專門與通俗兼籌並顧，再加上歐洲大陸學者的堅實卓越，印度哲人的深思緻密，因而形成其極廣大而盡精微的造詣。從而可以瞭解作者為學的謹嚴端正，及其學不厭，敎不倦，不知老之將至的態度。本書既是使明治以後的日本漢學家改變其研究我國文學的固有態度的一部重要著作，又是經過現代日本漢學界泰斗吉川幸次郎先生的剪裁與校訂，其內容自有獨到之處。可惜的是本書在編印之際，沒有將它改寫成爲戰後流行的日文，而仍保留著明治、大正時代日本學術界慣用的文體，所以感到晦澀難懂。但無論如何，當翻閱此間出版的中國文學史之類的書籍之際，如能把狩野的這部書加以對照，必能收到預料不到的效果。

【註釋】

①西鄉隆盛（一八二七～一八七七），號南洲，薩摩藩人，明治維新的領導人物。其出身雖低微，但頗受其藩主島津齊彬（一八〇九～一八五八）器重。明治四年（一八七一），擔任維新政府的參議，推行廢藩置縣政策。兩年之後，因倡導「征韓論」失敗，下野回鄉。不久，被其學生及不滿現實的士人擁爲領袖，發動西南戰爭（一八七七），結果失敗而自殺。

②「征韓論」是明治初年日本政界欲侵略朝鮮的主張，這種主張，雖萌芽於江戶末年，但通常所指的是明治六年（一八七三）由西鄉隆盛所倡者。然其主張卻爲木戶孝允（一八三三～一八七七）、大久保利通（一八三〇～一八七八）等內政優先派所粉碎。因此，西鄉以下的征韓派乃下野，而與政府對立。明治政府便確立以大久保爲中心的獨裁體制。

③藤田東湖（一八〇六～一八五五）是江戶末年的水戶學派漢學家。文政十年（一八二七），繼其父職爲彰考館編修，兩年後擔任該館代理總裁。此館乃德川光圀（一六二八～一七〇〇）爲編纂《大日本史》而設的機構。藤田

頗受其藩主德川齊昭（一八〇〇～一八六〇）器重而居要職，從事藩政改革，後來參與幕政，盡力海防。與橋本左內（一八三四～一八五九）、橫井小楠（一八〇九～一八六九）、西鄉隆盛等人交往，以朱子學的名分論爲中心的尊王攘夷論領導同志。後因大地震，死於江戶。著有《正氣歌》、《回天詩史》等書。

④水戶學是江戶時代因編纂《大日本史》而興起的學派，尊崇朱子之學，並綜合日本國學及其神道。前期以德川光圀爲中心，尋求歷史上的大義名分，說明皇室之尊崇；代表學者有安積澹泊（一六五六～一七三七）、栗山潛峰（一六七一～一七〇六）、三宅觀瀾（一六七四～一七一八）等人。後期則在德川齊昭（一八〇〇～一八六〇）的保護下，熱衷於尊王攘夷論；主要學者有藤田幽谷（一七七四～一八二六，東湖之父）、藤田東湖、會澤安、內藤恥叟（一八二六～一九〇二）、栗田寬（一八三五～一八九九）等。

⑤元田永孚（一八一八～一八九一），熊本人，漢學家，曾任明治天皇侍讀、宮中顧問、樞密顧問等職，並曾參與編修《大日本帝國憲法》、《皇室典範》工作。著有《經筵進講錄》、《幼學綱要》、《書經講義》、《五樂園詩鈔》等書。

⑥島田重禮（一八三八～一八九八），字敬甫，號篁村，東京人，曾任高等師範、女子師範、學習院、東京大學等校教授。其經學以漢儒之說爲基礎，兼採宋儒之說。著有《篁村遺稿》、《篁村文稿》、《隨筆》等書。

⑦根本通明（一八二二～一九〇六）是明治時代的漢學家、文學博士。初學程朱，並以《通志堂經解》爲天下至寶。以後則知該書之不可信，乃研究訓詁之學，終於創立考證學派。其著作有《讀易私記》、《周易復古筮法》、《伯夷傳考》、《從軍經歷》、《芝山筆談》、《文稿》、《論語講義》、《詩經講義》、《周易講義》等書。

⑧竹添進一郎（一八四一～一九一七），字光鴻，號井井，是明治時代的外交官，漢學家，曾獲文學博士。十四歲時受教於木下犀潭（一八〇五～一八六七）門下，與木村弦雄、井上毅（一八四三～一八九五）、古莊喜門（一八四

〇~一九一五）同被稱爲木下門下的四大天王。後來則仕熊本藩。曾任日本駐天津領事，日本駐朝鮮公使等職。離開政界後，就在東京大學講授經書。明治二十八年（一八九五）以後，則蟄居於東京附近的小田原，專心從事寫作。此間流行的《左傳會箋》，即其著作之一。

⑨井上哲次郎（一八五九~一九四四），哲學家，九州福岡縣人，東京大學出身。當他留德東歸後，便在其母校任教。他除致力移植德國的觀念論哲學外，又倡導現象即實在論，以企圖組織包括東西思想的哲學體系。晚年則埋頭於中國文學研究，而留下不少著作。

⑩昌平黌，又名江戶學問所，或昌平坂學問所，係由林鵝峰（一六一八~一六八〇）創辦的私塾。寬政二年（一七九〇）因幕府嚴禁西歐之學，該塾乃成爲官立學校，並起用林家以外的學者任教，使它成爲教育旗本（幕府的直屬部隊）子弟的機構。迄至江戶末年，則招募各藩的優秀子弟就讀，而呈現蓬勃氣象。明治以後，爲維新政府所接收，而於明治四年（一八七一）關閉。

⑪關於吉川的生平及著作，請參閱《國語日報》〈書和人〉第一九九期所載拙稿〈吉川幸次郎全集〉。

⑫內藤虎次郎（一八六六~一九三四），字炳卿，號湖南，秋田縣人，是中國史專家，日本學士院會員。曾任《大阪朝日新聞》、《萬朝報》的記者，京都大學東洋史教授。他對中國史學的研究有很大的貢獻。因他對於中國史有獨到的見解，故其研究方式被稱爲「內藤史學」，於日後的日本東洋史學界有很大的影響。其著作有《中國史學史》、《中國繪畫史》、《近世文學史論》、《日本文化史研究》等書。

⑬伊藤仁齋（一六二七~一七〇五），京都人，漢學家，日本「古義學派」的創始人。據說當時從日本各地聚集在他的私塾（古義堂）受教的學生多達三千人，成爲當時學界的一大勢力。他以爲朱子之學乃宋儒的主觀唯心論，因

而主張從原典直接尋求聖人的本旨——復古之學。所以，他乃針對朱子學的理氣說，與忽視現實的靜的世界觀，而提倡採取宇宙人道之活動立場的一元氣論。其學風以道德論爲中心，透過仁與義的解說，展開其政治論。當他逝世後，便由其子東涯（一六七〇～一七三六）繼其衣鉢，而與江戶的荻生徂徠抗衡，推動了當時的整個日本漢學界。仁齋的主要著作有《孟子古義》、《童子問》、《語孟字義》等書。

⑭荻生徂徠（一六六六～一七二八），是江戶中期的漢學家。其父爲五代將軍德川綱吉（一六四九～一七〇九）的侍醫。荻生在江戶給古義學派灌輸新風氣，而完成其古文辭學。其特色在於政治論。其學派又被稱爲「古文辭學派」或「護園學派」。主要著作有《辯道》、《辯名》、《政談》等書。

⑮梁容若、黃得時二位教授合著的《三訂中國文學史書目》，著錄了福建侯官人林傳甲的《中國文學史》，此書編於清光緒三十年（一九〇四）、原是京師大學堂講義，宣統二年，日本弘文堂發行。

⑯賴山陽（一八二五～一八五九），名醇，字子春，號鴨崖、古狂生，俗稱三樹三郎，是江戶末年尊王攘夷派的代表人物，漢學家。在「安政大獄」（一八五八年江戶幕府爲鎮壓尊王攘夷運動所採取的高壓措施。受牽連的公卿志士共達百餘人，被處死的有吉田松陰、賴山陽、橋本左內等八人。）之際被捕，第二年斬首於小塚原。其最負盛名的著作爲《日本外史》二十二卷，係參雜宋元理學（朱子學）思想而完成的歷史書。

賴世和博士（E. O. Reischauer）與《圓仁入唐求法記》

日本與中國有正式邦交，是從隋煬帝大業三年，即日本推古天皇十五年（六〇七）日本聖德太子①以小野妹子②爲遣隋使時開始的。但隋朝雖統一了南北朝三百餘年的混亂局面，卻只經兩代，不到四十年，便爲李唐所取代了。當時日本十分仰慕中華文化，渴望輸入中華文物，就繼續與唐朝建立邦交。舒明天皇（六二九～六四一在位）二年，即唐太宗貞觀四年（六三〇），遣犬上三田耜③爲使節，而以朝貢的姿態，第一次與唐朝正式來往。日本的遣唐使先後共派遣十八次，其中有三次因故未能成行。宇多天皇（八八七～八九七在位）寬平六年（唐昭宗乾寧元年，八九四），曾以菅原道眞④爲遣唐正使，紀長谷雄⑤爲副使。但是菅原道眞鑒於當時中國政治紊亂，經濟蕭條，乃上書建議廢止此擧⑥。因此可以說，在仁明天皇（八三三～八五〇在位）於唐文宗朝（承和七年，日本天長三年，即八二六～八四〇）所派遣的承和遣唐使（八三八～八四〇），該是日本在唐代所派遣的最後一次使節了。

日本派遣到唐的船隻，起初只有兩艘，自奈良時代（七一〇～七八四）以後，便通常爲四艘，人員爲將近六百人。其所以要派四艘之故，既非定規，也不是因人數上的關係，而只是抱著一種比較安全的想法，船隻即使在途中遇難，也可能有其中之任何一艘能夠達到目的地罷了。而遣唐使爲臨時官，所以人員也沒有規定，其規模與內容是因時代而有所不同。根據《延喜大藏省式》，其大致情形是大使、副使各一人，有時也派大使、副使各二人，或僅副使二人的。更有時在大使之上，又有執節使，或押使，而其下又有判官、錄事、知乘船事等。他們都是主要幹部，被分發至各船擔任船長，或兼任其他航海中的任務。他們之下則有譯語、主神、醫師、陰陽師、畫師、史生、射手、船師、音聲長、新羅奄美譯語、卜部、傔從、雜使，音聲生、玉生、鍛生、鑄生、細工生、船匠、柂師、傔人、挾杪、水手長、水手等。其幹部及隋員爲現職的官員，而柂師、挾杪、水手等之多數，則是臨時徵召的白丁（公民）。又因他們是文化使節性質，所以除上述人員外，另有留學生、留學僧參加他們的行列。關於留學的人，則視其留學期間之長短，將他們分爲長期留學與短期留學。長期留學是一直逗留到下次的遣唐使抵達時爲止，而兼有一種聯絡官之任務的。短期留學則僅與使節一行共同往返而已。到了平安時代（七九四～一一八五），這種區別，就更爲明確，稱爲「請益」，或「還學」，而與一般的留學有分別。所謂請益，就是根據《論語》、《禮記》「即有所受而請增益」的意思，故可說是特別研究員。在那些請益僧當中，最負盛名的，該是天台僧圓仁⑦了。

圓仁俗姓壬生，西元七九四年誕生於下野（現在栃木縣）都賀郡。幼喪父，性聰敏，容貌也很溫雅。九歲時，其兄授以經史，同年入該郡大慈寺廣智之門，專修內典。廣智乃唐僧鑑眞⑧的三傳弟子，德行甚高，日後被稱爲菩薩，在關東地方有相當的聲望。大慈寺是傳教大師最澄⑨所建六處寶幢之所在，現在於栃木市郊小野寺中。圓仁在十五歲時，上京都比叡山入最澄的門下，學止觀大定妙慧。二十歲（八一三）時，逢官試得第。第二年爲止觀業之及第生，而嶄露頭角了。二十三歲時，於東大寺受具足戒。後來，似曾一度下山傳教，相傳也曾在法隆寺及四天王寺講《法華經》。承和二年（八三五），當他四十二歲時，被推舉爲遣唐請益僧，與遣唐使藤原常嗣⑩西渡，在唐十年而後歸國。回國後，受到文德（八五〇～八五八在位）、清和（八五八～八七六在位）二位天皇的寵遇，被尊爲傳燈大師，且又成爲天台的第三世座主。奏建總持院，爲天皇修供，並授弟子以三昧。又經營常行堂，大整顯密的紀綱，又將從五台山帶回的土石作爲基石，建造文殊樓。所以他在中國的求法對於他晚年輝煌的宗教活動，有很大的影響（日本的天台宗，創於最澄，而使它隆興大成的實爲圓仁）。清和天皇貞觀六年（唐懿宗咸通五年，八六四）正月十四日，圓仁圓寂於京都延曆寺，享年七十一歲。八年七月，敕供《法華經》千部於總持院，並追贈謚號云：

故天台座主圓仁，慈襟不測，惠翅高飛，到五台而問津，誠同刺頸；開三密而宏教，業是增華。轉大梵輪，正獅子吼。朕昔以眇身，頻接慈眼，恨護持之俄隔，思崇餝而何窮，宜贈法印大和尚，仍謚號慈覺大師。

圓仁在中國求法巡禮的性質如何？經過怎樣？能夠解答這些問題的根本資料，該是他的《將來目錄》與《入唐求法巡禮行記》了。所謂《將來目錄》，就是圓仁在唐所得而帶回日本的經典等目錄，現存有《日本國承和五年入唐求法目錄》（八三九）、《慈覺大師在唐送進錄》（八四〇）、《入唐新求聖教目錄》（八四七）三種，它們都被收錄於《大正藏經》及《大日本佛教全書》的目錄類中。這就如國立奈良博物館技官小野勝年博士所說，

> 我們若只根據該《將來目錄》，則僅能知其入唐的梗概，而無法作更進一步的瞭解。幸虧他曾留下其他求法僧所沒有的絕好紀錄——《入唐求法巡禮行記》，才使我們對他在唐活動的情形瞭如指掌。

圓仁究竟在甚麼時候完成其《巡禮行記》四卷，雖不可考，但已供後來的日僧所模倣。例如：圓珍⑪的《行歷抄》⑫，成尋⑬的《參天台五台山記》⑭便是。若根據《參天台五台山記》的記載，成尋曾於覲見北宋神宗（一〇六八～一〇七七）時，呈獻圓仁的《巡禮行記》。若是從日蓮⑮的《立正安國論》⑯，或東大寺學僧宗性的《彌勒如來感應抄》，天台僧承澄的《阿娑縛抄》⑰等書裏引用《巡禮行記》的文章看來，該書在鎌倉時代（一一八五～一三三三），於僧侶之間已有不少人讀它了。出現在該《日記》的唐地名、寺名，也被原原本本的模倣著，如竹林寺、赤山院、金閣寺便是。跟慈覺大師有關的物品，也散在日本各地。此外，由圓仁移植的五台山寺院音樂，便成爲「聲明道」⑱而獨立存在著，這對日本的音樂有很大的影響。現今日本的謠曲⑲、長唄⑳、平家琵琶㉑、淨琉璃㉒、白拍子㉓、今樣㉔、能樂㉕等，無一不是來自於天台聲明。田村完誓說：

> 在寺院音樂裏，天台的魚山聲明，是鎌倉佛教之中，尤爲淨土宗、淨土眞宗所繼承下去。故可說圓仁是遠東地方的寺院音樂之父，而且其業績可以跟古烈高麗奧（Gregorio）法王相媲美。

由圓仁完成的《五台山巡禮》，時至今日，也仍以「回峰行」形式，而爲在比叡山所舉行的修行項目

之一。至於圓仁的著作，除《入唐求法巡禮行記》外，尙有：《經疏私記》凡九十四種，百五十三卷；《金剛頂蘇悉地二經疏》七卷，《顯揚大戒論》八卷，都是奉敕刊行的。論者稱美其作品說：

> 身渡滄溟，足踏靈窟；趁上智而餐其說，問碩學而窮其源。三密甚深之法，分涇渭以實傳；一乘圓通之教，振膏肓而無遺。

岡田正之博士㉖在其《日本漢文學史》裏說：

> 其文筆不遜於菅原道眞、三善清行㉗；其尺牘有歐、蘇手簡風；其記事爲五大遊記㉘冠冕。

可是，到了室町時代（一三三六～一五七三），逐漸被人忘記，就很少有關於該書的記載了。這種被遺忘的寶貴資料之再受到日本學界的注意，是在明治（一八六八～一九一二）中期以後的事。那是因爲已故東京大學教授三上參次博士㉙在京都的東寺觀智院調查文獻時，偶然發見正應四年（元世祖至元二十八年，一二九一）沙門兼胤的手抄本的結果。這部手抄本於明治三十六年（清德宗光緒二十九年，一九〇三）被日本政府指定爲國寶，後來又被收錄於《續續群書類聚》（東京，一九〇七年刊）第十二卷，頁一六五～二五八，及《大日本佛教全書》（東京，一九一八年刊）第百十三冊，頁一六九～二八二中，東洋文庫也曾加以出版。

圓仁的《入唐求法巡禮行記》的特色，是許多四字句，及混合使用他在日本所學的漢文，與在唐期間所學的口語。這可由該《日記》與敦煌發見的語體文獻所使用的語彙相通處，瞭解其一斑。該《日記》所寫的雖然都是具體的事實，文章也平實流暢。但是，有如小野勝年博士所說：

因爲往往使用僧家的特別語彙，所以若對佛學沒有研究，或許對它的理解就要費力些！

《入唐求法巡禮行記》起筆於日本承和五年（唐文宗開成三年，八三八）六月十三日，止筆於承和十四年（宣宗大中二年，八四七）十二月十四日，凡歷九年七個月。其在唐行蹤所至，若以現在的行政區域而言，則其所經之處有江蘇、山東、河北、山西、陝西、河南、安徽等七省。小野勝年博士說：

就現在的旅行觀點言之，也許不值一提，然當想到在一千多年以前，靠徒步沿門托鉢方式旅行時，就不難想像其艱苦情形了。

當圓仁的《入唐求法巡禮行記》被介紹後，非但受到日本佛學家與漢學家的注意，而且加以引用及作爲考證資料的論文也不少。其中最有成就的，該是岡田正之博士的〈慈覺大師的入唐紀行〉（《東洋學報》，卷十一、十二、十三），與前國立東北大學教授堀一郎博士的譯本（收錄於《國譯一切經》〈史傳部〉，第二十四冊，頁一～一五四，東京，一九三五年刊），及小野勝年博士的《入唐求法巡禮行記的研究》（共四冊，鈴木學術財團一九六四～一九六八年刊）了。除日本人外，對該《行記》之研究有豐碩成果的，就是美國哈佛燕京社社長賴世和博士（E.O. Reischauer）的英譯本《圓仁的日記》（Ennin's Diary – The Record of a pilgrimage to China in Search of the Law）及其研究《圓仁入唐求法記》（Ennin's Travels in T'ang China）了。這兩部鉅著由紐約的「洛納路多·普勒斯社」於一九五五年同時出版。這雖是兩冊書，因兩者相輔而成，有不可分的關係，故應把它視爲一本書。

賴世和博士於一九一〇年十月十五日，誕生在東京芝白金的明治學院內。他的父親奧克斯都·卡爾·賴世和（A˙K˙Reischauer）博士在一九〇五年九月，以基督教長老會的傳教師身分前往日本（其母海倫Helen也同時渡日），傳教達半世紀之久，而給日本基督教傳教史上留下不朽的業績。老賴世和博士除了傳教外，又曾在明治書院教授組織學及西洋哲學等課程，並於一九一八年創辦以基督教主義爲目標的東京女子大學。兩年後，又在東京都町田市創設日本聾話學校㉚。除此以外，他對於佛教方面也有相當研究，這從紐約大學校長馬克羅肯先生之請他專題講授日本的佛教問題，可窺一斑。他也曾著《日本佛教研究》一書。他的另一件不朽著作，就是一九三〇年發表在《亞洲協會年報》上的，第十世紀的日本天台名僧慧信僧都源信㉛所著《往生要集》㉜了。該書對日本的淨土宗曾發生很大的影響，所以他把它比作遠東的但丁《神曲》。田村完誓說：

圓仁是較源信晚一個世紀的日本天台的重要組織者，所以賴世和博士之研究圓仁，當受其父不少的影響！

賴世和博士從少年時代開始，就在東京目黑的美國學校上學，直到結束高中課程爲止。一九二七年，進俄亥俄州的奧柏林大學，一九三七年畢業後，第二年在哈佛大學研究所主修史學，獲得碩士學位。一九三三年至一九三八年，他獲得哈佛燕京社的獎學金，先後留學巴黎、東京、京都及我國的北京大學，一九三九年獲得哲學博士學位。賴世和博士非但是一位學貫東西的飽學之士，也是一位極出色的政治家，及英勇果敢的軍人（一九四三～一九四五，服役陸軍，任職中校）。他曾於一九三九年起至一九五〇年止，在哈佛大學任教，教授遠東語文。也擔任過美國國務院調查研究所主任（一九四一），國務院遠東局長特別顧問（一九四五～一九四六），並曾服務於陸軍參謀本部（一九四二～一九四三）及擔任文化科學駐日訪問團的團員（一九四八～一九四九）。後來，他擔任哈佛燕京社社長（一九五六～一九六一），又擔任美國駐日大使達六年之久（一九六一～一九六六），對於促進美、日兩國的友好關係，與文化交流有相當貢獻。他曾獲得「東方社團傑出獎章」，也曾擔任美國歷史學會遠東部門總裁。當他卸下駐日大使的重擔後，重返哈佛主持哈佛燕京社（一九六七），由此便可瞭解其活躍情形之一斑了。賴世和博士曾於一九三五七月五日，跟安特妮·達頓（Adrienne Danton）小姐結婚，生育一女，名叫羅勃達頓·瓊（Robert Danton，Janon）。一九五六年二月四日，又與日本的松方春子（Haru，Matsukata）小姐再婚。

賴世和博士雖爲公事而忙碌異常，卻經常偷閒著書立說。直至目前爲止，他曾編《大學日本文選》（Selected Japanese Texts for University Students，1942）三冊，與《大學初級日文》（Elementary Japanese for College Students，1944）。更著有《日本的過去和未來》（Japan Past and Present，1946），《一個亞洲政策》（Wanted：An Asian Policy，1955），《美國和日本》（The United States and Japan，1957）（以上三書均有日譯本）《早期日本文學翻譯》（Translations Early Japanese Literature，1951），《到中國尋找法則的朝聖記》（The Record of a Pilgrimage to China in Search of the Law，1955），《遠東——偉大的傳統》（East Asia，The Great Tradision，1965），《越南之外》（Beyond

Vietnam, 1997），《美國與亞洲》（The United Sates and Asia, 1967），《日本——一個國家的歷史》（Japan the Story of a nation, 1970），以及本文所提的《圓仁的日記》，與本文所要介紹的《圓仁入唐求法記》。可見他對於文學、歷史、政治三方面的學問都有深切研究，不然他怎能完成這許多著作呢？

平安時代，佛教界中，居於主要地位的比叡山天台宗，是建築在圓仁前後十年的充滿苦難的入唐求法巡禮旅行的體驗之上。《入唐求法巡禮行記》實是唐代宗教、政治、經濟、社會各方面的寶貴資料。賴世和博士認爲這部日記遠較馬哥孛羅（一二五四～一三二四）所寫的《東方見聞錄》爲早而確實，且能給研究唐代文化者很大的幫助，所以是具有世界性的貴重的文獻。他費了二十多年的歲月，克服許多困難，終於完成英文譯註本，並且寫成《圓仁入唐求法記》。當英文譯註本問世後不久，就被轉譯成爲德文、法文，使它更普及於歐美漢學界。就日本而言，田村完誓也將賴世和的《圓仁入唐求法記》譯成日文，實業之日本社，昭和三十八年六月刊行。結果，圓仁的作品便成爲世界各國學者都能親近的唐代日記文學了。

賴世和博士在下筆翻譯圓仁的《入唐求法巡禮行記》之前，曾以哈佛燕京社所遣留學生身分赴日，分別在東京大學史料編纂所、京都大學接受有關史料方面的訓練。圓仁的這四本陳舊的線裝古鈔本之受其注意，實乃這個時期的事。田村完誓在其日譯本的〈後記〉說：

> 爾來，就好像著了魔似的，專心一致的將這古代的冒險故事譯成英文。即使說其翻譯工作包含著青春的熱情與不屈不撓的精神，以及二十年的人生悲歡，也不會過分。

又說：

賴世和博士之所以注意到了連日本人都早已忘記的，這千百年以前由日本人書寫的寶貴的旅行記，實在是因爲他留學日本以前，即一九三四年留學巴黎時，已經受到法國著名的中國佛教權威、法國學院(College de France)教授保會·杜明威(Paul Demieville)所提示的關係。

更說：

當他受到了對日本佛教也有相當研究的杜明威教授的提示，知其大概，然後留學日本，曾在東京大學史料編纂所，結識了正在該所實地從事研究的青年天台學僧，現任大正大學教授勝野隆信氏，而成爲他從事這種翻譯工作的最好顧問。

賴世和博士在《圓仁入唐求法記》的原版〈序〉文中說：

約在二十年前，當我還是個大學研究所學生，在日本從事研究時，就希望把這部偉大的紀錄介紹給歐美的漢學界，而開始從事翻譯工作。但在翻譯過程中，卻時常因對有關學問上的探討，或研究以外的活動而受到阻礙，以致耽誤了許多時間。……加上約一千六百個註解的這部日記全文的翻譯，就把它作爲《圓仁的日記》的姊妹篇出版了。

又說：

隨著翻譯工作的進行，便發覺圓仁的日記不但在學問上令人注目，而且在其他方面也非常有趣。當我們想到，目前正在經驗著東方與西方成爲一個世界之艱苦的課程時，這部偉大的歷史文獻，雖在時間上屬中古，而地屬遠東，但卻可認爲它已超過時間或空間的限制，而成爲我們人類共有的財產之一部分，這是非常有意義的。並且那是世界史上重要的旅行紀錄，也是對人類歷史之從野蠻時代起，一直到現代文化既高，而且又極不安定的，充滿艱苦的漫長旅程的一個重要階段，具有闡明能力的第一等有價値的文獻。

再說：

我不是爲對遠東寄予特別關心的人們著此書，乃是爲在更普遍的廣泛的意義上，對人類歷史的紀錄給予關心的人們而從事的。

賴世和博士在其譯書的開頭說：

爲要完全理解《日記》的大部分，可能需要極爲廣泛的各該專門的知識。而這部日記的譯者，在理想上可能須對極爲細密的佛學有深刻的理解，而且對唐朝的政治或行政各事，與朝鮮史，遠東外交關係，神道神話學，中國史地，第九世紀航海術，以及其他同樣複雜而不容易體會的專門領域之事，也須具有同樣的知識！

爲要充實這些條件，他可能曾經下過不少苦功。耶魯大學的約哈內·拉德(Johannes Rahder)曾說：

在日本有輕視佛教的歷史與國文之研究風氣，是非常奇異的。

所以田村完誓便以爲賴世和博士在這點上，實比部分的日本史學家及文學家具有更能表示其關心之特殊認識與才能。

《圓仁入唐求法記》共分九章。第一章分〈馬哥孛羅與圓仁〉、〈九世紀的中國〉、〈玄奘、圓珍與成尋〉、〈圓仁的日記之現狀〉及〈資料的傳承〉五項,以說明圓仁的《日記》在歷史上所佔的地位。作者以爲:

圓仁是從中國文化的支流(日本)到中國的,所以他像個中國文化的繼子。他既受漢學教育,也是個傑出的佛教學者。所以他像中國人一樣,能以信奉佛教者的身分進入中國人的生活核心中,從中國人的生活內部,亦即以具有理解的同胞之眼光來觀察當時的中國,所以他具有能夠給予中國正確之評價的條件與尺度的。馬哥孛羅既沒有注意到中國偉大的文學遺產,對於擁有廣大信奉者之佛教,除了認爲它是「崇拜偶像」外,也幾乎是一無所知的。他之看中國,只是從中國的外表加以觀察而已。

他又以爲:

地中海的文明北上,席捲了北歐各國;中國的文明不但南下,及於東南亞,也北上,遠達東北、朝鮮及日本。在歐洲,其文化的影響是非常緩慢而幾乎無法覺察的。然在日本,其影響卻非常急速,而且能夠很明顯的看出來。即自六世紀後半起至九世紀中葉,其間,曾有偉大的中國文化洪流,以迅速而有力的形勢衝擊日本。圓仁便是當此時代潮流末期,能夠代表遠東歷史進展的重要人物之一。

第二章是根據九世紀及十世紀初所寫成的圓仁傳記,分成〈新參者〉、〈中國渡航〉、〈巡禮〉、〈彈壓〉、〈教會之父〉等項,說明圓仁的身世與人品。對唐武宗的廢佛,圓仁返日後,前後有數位天皇皈依於他,並給太子、大臣們行佛教的灌頂禮,及對佛教徒傳授在中國學到的新的佛教儀式等事,作詳細的介紹。此外，對於圓仁之注釋有關經典的儀式，及他死後的殊榮〈敕賜「法印大和尙」〉等，也都提及。

第三章則就日本的遣唐使問題，尤其對承和遣唐使問題，有相當詳細的論述。它分成〈古代的遠東國際關係〉、〈遣隋使、遣唐使〉、〈遣唐使的組織〉、〈渡航準備〉、〈覲見〉、〈貿易與商業〉等項，內容極爲豐富，頗能引人入勝。這是作者主要根據日本皇室紀錄寫成的。

第四章主要是就〈縣衙的訊問〉、〈通行證的申請〉、〈於縣衙〉、〈於州衙〉、〈於都督府〉、〈於首都長安〉各項，分別敘述圓仁與中國官吏交涉的經過。而對唐武宗即位之際，地方民衆聆聽敕書的儀式，以及圓仁前往五台山，與在首都長安的動態等，也有詳細的介紹。這是作者根據圓仁的《日記》，而不憚其煩的加以演繹的。

第五章，作者以爲圓仁不但是個富於熱忱的巡禮者，也是個傑出的，可以作爲一般旅行家楷模的人。他的耳目不斷朝向新奇的事物，尤其在逗留中國之初，對於他親身經歷的大唐帝國的所見所聞，都記載在他的《日記》裏面。所以作者便根據圓仁的見聞，分別敘述〈大衆化的祭禮〉、〈國家的儀禮〉、〈禁咒、神話與不吉的預兆〉、〈旅途上的食宿〉、〈經濟地理的觀察〉、〈對僧人的官給〉、〈圓仁費用的出處〉等，以介紹圓仁在唐的一切動態。

第六章以〈大衆化的佛教〉爲題，分別敘述唐代的〈寺院的設置〉、〈國家的教會〉、〈宗派的分立〉、〈精進的菜肴〉、〈宗教的講義〉、〈儀禮與祭祀〉、〈五台山與文殊菩薩的信仰〉、〈五台山的僧院〉、〈佛教的盛行與衰退〉等。賴世和博士說：

當探溯日本的遣唐使節團，或中國政府的官吏組織，及一般風俗與旅行狀況之記述時，圓仁的《日記》雖能把我們引至世俗境界，但我們卻會覺察到它只是爲求法而巡禮中國的紀錄而已。因爲它對圓仁，或對保存此文獻好幾世紀的虔誠的人們而言，那不外乎是紀錄佛教的光輝，及巡禮者的喜悅與辛勞之寶貴的宗教書罷了。所以圓仁所記的許多世俗之事，僅是從更富於精神美的菜肴上，溢出的麵包屑而已。然而在今天，能夠完全享受這美好菜肴的人，可能不會太多。

第七章是作者根據中國當時的各種史料，從政府的反佛情緒開始，逐步提到武宗廢佛的措施與經過。並且引用新、舊《唐書》及其他官方紀錄，以說明圓仁所受的打擊，及皇帝與道教的問題。賴世和博士說：

提起中國壓迫佛教的問題，那是不能跟西歐的基督教、回教之間的殘酷的對立鬥爭，或基督教內部的兄弟鬩牆，或宗教裁判的觀念來相提並論的。跟西歐比起來，中國可以說是幾乎沒有宗教上的對立鬥爭的。然在這裏產生所謂的宗教壓迫，與其說是宗教的理由，無寧說是由於世俗觀念的差異。就整個中國史而言，對於佛教的明顯的反對聲，並非是宗教的，乃是從社會經濟的觀點而來的。

第八章則以朝鮮方面的資料爲主，中、日兩國的史料爲輔，分別叙述朝鮮人在中國活動的情形。作者以爲古代的朝鮮是中國文化最初的子孫；在日本佔領其半島之前，它與中國的精神傳統的關係最密切，而且是最忠實的中國信奉者。就世界文化史的演進階段來說，即從古代文明的中心，將其文化向毗鄰的地域發展時，在其最初階段裏，中國文明是主要經過朝鮮而傳到日本的。並且因朝鮮與中國的接觸遠較日本爲頻繁，所以朝鮮在這個期間所接受的中國文明，就比日本超出許多了。

第九章叙述圓仁歸朝的始末，也可說是本書的結論。

賴世和博士在本書的〈序〉文中說：

本書係根據圓仁的《日記》，用圓仁自己的話寫成的。也就是說，我將圓仁在九世紀後所使用的中國會話體，與古典的成語所組成的奇妙文章，使它變成二十世紀的現代英語。

賴世和博士之能夠把圓仁的《日記》譯成英文，並將其研究心得寫成《圓仁入唐求法記》一書，這對於世界各國的漢學界，實有很大的貢獻。東京大學教授中村元，在田村完誓所譯的日文版的〈序〉上說，本書具有下列六點卓越的特徵：

一、作者始終在世界史的演進過程中，注意到彼此之間的關聯，並且將所考察的每一事項，有機的給予適當地位。

二、因作者精通日文文獻，故其每一項研究的結論，都能根據日本學者所研究的成果。他既能就每一公案加以探究，且能實地勘察圓仁的足跡，故由此可窺見其確切性了。

三、把圓仁及圍繞在他四周的人物，描寫得栩栩如生，同時也將千百年以前的日本人的心理刻畫入微。

四、作爲一個歷史學家，應對現象之深處，體認出其所蘊藏的意義。作者對這方面的努力，非常顯著。同時他也運用著社會學的分析方法。

五、作者對於當時的佛教信仰，充滿著同情的理解，所以並未留下身爲「異教徒」的誤解的痕跡。

六、在本書裏，不但佛教問題未成爲表面上的問題，而且能看出作者對佛理精深造詣之一斑。在這一點上，也許淵源於他的尊翁老賴世和博士的《日本佛教研究》吧！

日本九州大學名譽教授、印度哲學史家干潟龍祥博士說：

我對本書深深感謝下列兩件事：其一爲作者不但把難解的中文譯成英文，並且又加上註釋與解說文字，使它成爲近代世界各國人士都容易瞭解的著作。其原文似乎是用中國文言，並夾雜若干中唐的俗話而成。因此，有些地方無法以現在日本人的中文修養去理解它。並且又因爲有許多佛教的術語，及唐人社會的職名或習慣用語，所以日本學者不容易讀通，至於歐美人士，那就更不用說了。更值得佩服的，是賴世和博士能夠非常正確的將它譯成英文，且對於術語、地名，及每一事物都加上註解，這使對中文比較生疏的歐美人士也能夠容易接受。尤其該書又提供九世紀中葉的世界第一有高度文化的大國（唐朝）的政治、外交、經濟、交通、社會、宗教、習俗等寶貴資料。這些資料，又都是不能離開研究東洋史或世界文化史的學者的身邊的文獻。這固然是賴世和博士的才能與淵博的學問使然，但將其才能與博學集結於此的，實由於博士之爲要深深理解東洋，尤其是日本及日本人的熱忱所致。協助他完成這項工作的，就如他在本書〈序〉文中所說，是他的岳父、父親及夫人。其二爲賴世和博士能放大眼光，把圓仁的《巡禮行記》放在人類文化史上來衡量它的價值。圓仁留唐九年，在這漫長歲月裏約三分之二以上，是與他入唐的目的少有關係的苦難日子。在他雖像徒勞無功的艱苦體驗，然其結果，卻爲後世的史學家留下難能可貴的文化史料。那段苦難的日子，包括八二四年以後因唐武宗之廢佛毀釋而遇難的時期，就是他深入民衆之中抓住其生活實態的時節。因此可說，圓仁的旅行記，是唐朝社會生活文化的紀錄。以往的日本學者未能重視它，賴世和博士卻能特別注意到這點，且站在人類文化發展史的立場，給予很高的評價。由於賴世和博士的評價，圓仁所受的苦難，便因而獲得很大的補償了。

台灣大學教授勞榦先生說：

本書的翻譯，是個非常困難的工作。因爲原書誤字甚多，並且還有脫漏及錯葉；同時還牽涉到中文、日文、韓文及梵文幾種文字。因此翻譯者非有充分修養，不能勝任。本書翻譯對於原文的糾正已經做到，而且在對譯方面，參考中、日古今制度及地理，無甚錯誤。此外，外國出版的牽涉中國文字的書，中國文常排錯或寫錯，本書也沒有發見過這種錯，的確是一個經心之作。㉝

小野勝年博士說：

就其內容而言，則對於唐朝、日本之交通，尤其對承和遣唐使的動靜，在中國沿海地方的新羅人之活動、通商、居留狀況，以及唐代的宗教，尤其對佛教、道教，皆有相當的敘述。

至於唐朝的風俗禮儀、官府制度、地方組織，及外交關係等，多據圓仁的《日記》及中、日、韓三國的史料寫成。對於往返書簡、牒文，也都全文錄入。這對研究當時公私書牘體式，也有不少幫助。東海大學教授梁容若先生說：

所記事實，雖不無訛傳訛聞，而可以裨補史乘者實夥。㉞

因此特爲文介紹，並就教於著者和讀者。

【註釋】

①：聖德太子(五七四～六二二)，用明天皇(五八五～八七年在位)第二子，名廏戶豐聰耳皇子，聖德太子係其謚號。其姑母推古天皇(五九二～六二八在位)在位時擔任攝政之職，整備內外政治，並先後制定官位十二階及《憲法十七條》。且又遣小野妹子赴隋，致力於輸入中華文化與興隆佛教。著有《三經義疏》一書。

②：小野妹子，生卒年不詳。日本飛鳥時代之遣隋使，出身於近江滋賀郡之世家。隋煬帝大業三年(推古天皇十五年，六〇七)奉聖德太子之命，以遣隋使身分來華，翌年隨隋使裴世清回國。同年再度來華，隨行者有高向漢人玄理、南淵漢人請安、僧旻等留學生及留學僧。

③：犬上三田耜，又書犬上御田鍬。在西元六一四年時，曾以遣隋使身分來華。六三〇年係再度西來，兩年後偕唐使高表仁及日僧旻東歸。

④：菅原道眞(八四五～九〇三)，公卿、文人，正二位，賜太政大臣。頗受宇多(八八七～八九七在位)、醍醐(八九七～九三〇在位)二天皇信任，且爲壓抑藤原氏而被重用。寬平八年(八九四)受命爲遣唐大使。因其建議，遣唐使節從此而廢。

⑤：紀長谷雄(八四五～九一二)，平安初期的漢學家。初爲文章生，後來累升至文章博士及大學頭，並升爲從二位中

納言。曾參加編纂《延喜格式》，著有漢詩文集《紀家集》。

⑥：道眞上書曰：「臣謹案：僧中瓘去年附商客書，具載唐國凋弊。中瓘雖區區學僧，爲聖朝盡職。代馬越鳥，豈非習性？臣伏檢舊記，聘使渡海，或不勝任，或沒於賊，能達者無幾，此中瓘所憂也。臣願以中瓘狀，遍下公卿，詳議可否，此國家大事，不獨爲一身也。」

⑦：關於圓仁的生平事蹟，請參閱梁容若教授著《中國文化東漸研究》（臺北，中華文化出版事業委員會，民國四十五年十一月）。

⑧：鑑眞（六八八～七六三），唐揚州江陽縣人，日本律宗之始祖，係受入唐日僧榮叡與普照之請赴日。他在日本建東大寺戒壇院及唐招提寺，並授戒與聖武天皇（七二四～七四九在位）及光明皇太后。此外，對於介紹中國的雕刻樣式與藥草知識給日本，其功也可沒。有關鑑眞東渡日本的經緯，請參看鄭樑生，〈唐大和尚東征傳——佛教東傳的一幕〉，收錄於《中日關係研究史論集》一（臺北，文史哲出版社，民國七十九年十一月），頁一。

⑨：最澄（七六七～八二二），日本天台宗始祖，諡號傳教大師。七八五年於比叡山營建草堂，稱爲延曆寺。八〇四年，與空海（弘法大師）同入唐。第二年回國創天台宗，著有《顯戒論》、《守護國界章》等書。

⑩：藤原常嗣（七六九～八四〇），參議，從三位，遣唐大使。少時於大學讀《文選》而能暗誦。擅長隸書，是位精明能幹的人。

⑪：圓珍（八四一～八九一），天台宗僧，諡號智證大師。俗姓和氣，讚岐人。八五三年來華，八五八年回國，成爲天台第五世座主。同年，建園城寺爲延曆寺的別院而創寺門派。其主要著作有《傳教大師略傳》、《山王院在唐記》等。

⑫：《行歷抄》一卷，係圓珍在唐期間的紀錄，是瞭解中國與日本天台宗交流情形的重要史料。

⑬：成尋(一〇一一～一〇八一),天台宗僧。一〇五三年爲延曆寺總持院的阿闍梨。一〇七二年入宋,遊歷智者大師的聖跡及其他各寺,而寂於明州開寶寺。北宋神宗追贈他善慧大師之號。

⑭：《參天台五台山記》又名《善慧大師賜紫成尋記》,八卷。係成尋從一〇七二年三月由肥前松浦出發時起,至巡禮天台、五台山後,於第二年與其弟子賴緣分別時爲止之紀錄。本書爲瞭解宋代的佛教、文物的好史料。

⑮：日蓮(一二二二～一二八二),日蓮宗始祖。十二歲時,上安房清澄山學天台宗。長大後,在鎌倉、比叡山、南都及高野山修行,而悟佛法的眞髓在於《法華經》,乃於一二五三年回清澄山創日蓮宗。著有《開目鈔》、《觀心本尊鈔》等書。

⑯：《立正安國論》一卷,以問答方式闡明《法華經》才是唯一的正法,言爲治國安民,必需袪除邪法。

⑰：《阿娑縛抄》二二七卷,完成於一二四二～一二八一年之間,係抄錄台密的各種禮節及其傳說而成。其《圖像抄》最爲完備,乃研究圖像的重要資料。

⑱：聲明道(Shiyōmiyodō),聲明又稱梵唄,係一種佛教歌謠,即歌誦經文的意思。是從印度,經中國,而於奈良時代傳到日本的。在平安初期,圓仁從唐移植天台聲明不久以後,分爲五個流派。迄至平安初期,源信就將它編成六道講式,並創「和讚」而成爲日本式的。

⑲：謠曲,完成於日本町時代(一三三六～一五七三)初期的能樂之劇本。原爲歌舞劇之一的「能」之聲樂部分稱爲utai(唱),謠曲一詞與此同義。除室町初期的觀阿彌、世阿彌外,音阿彌、禪竹、禪鳳、宮增等人爲其主要作者。相傳至江戶時代(一六〇三～一八六七)爲止的作品共有三千,目前所上演者則約二四〇,分爲脇能物、修羅物、鬘物、現在物、切能物等五種,而以此次序上演之五種爲正式演奏之基準。其曲之結構則大體上由序、破一段、破二段、破

三段、急之五段而成，夾雜著高昂的歌唱、對話、「地謠」之合唱等，係以韻文之旋律來吸引聽衆。又，能是由元雜劇之楔子發展而成者。

⑳：長唄（Lnagauta），自江戶時代起即有之音曲。乃以「上方長唄」、「大薩摩」等爲根據而隨著歌舞伎劇普及於江戶。它與留存在上方（京都一帶）者有異，係另外發展而成。日本明和年間（一七六四～一七七二）以後，成爲庶民音樂而發達，而將江戶長唄簡稱爲長唄。迄至江戶幕府末年迎接其全盛期，而一直流行到現在。長唄分爲效果音樂、舞蹈之伴奏樂，及獨立之音曲三種。作詞者多屬「狂言」作者，代表作有：〈京鹿子娘道成寺〉、〈越後獅子〉、〈藤娘〉、〈勸進帳〉、〈秋之色種〉等。

㉑：平家琵琶，又名平曲，講說用作品。以琵琶爲伴奏來講說《平家物語》。如據《徒然草》的記載，它在十二世紀末後鳥羽上皇時，信濃前司行長教導名叫生佛之盲人後始開始講說。經南北朝時代（一三三六～一三九二），至室町時代而臻全盛，迄至明英宗天順六年（寬正三年，一四六二），在京都一處便有數百人講說平曲者云。在江戶時代，雖也獲幕府之保護，然在明治維新以後卻步上式微之途。

㉒：淨瑠璃，與說教，謠曲等同爲從室町時代中期起產生之「講說」，因「淨瑠璃姬物語」之風評甚佳，故有此名稱。後來與三味線（三弦琴）、傀儡戲結合成爲民衆劇而發展。初期有播磨節、加賀節、土佐節等以故事爲中心的淨瑠璃流行於世。到了十七世紀六七十年代，則包含以雄壯的曲調風靡於江戶的金平淨瑠璃在內，總稱爲古淨瑠璃。及至十七世紀末至十八世紀初，當竹本義大夫（一六五一～一七一四）將往日各流派之作品加以整理，集其大成而確立「義大夫節」（gidayūnbushi）以後，因不斷上演近松門左衛門（一六五三～一七二四）之名作而無論在音樂上或戲曲上都有進一步之發展，致「義大夫節」有成爲淨瑠璃之另一種稱呼之概。更有進者，當它與江戶歌舞伎接觸後，產

生歌謠性質濃厚的「豐後節」，從而衍生常盤津節、清元節等流派，以迄於今。

㉓：白拍子(sirabyōsi)，產生於日本平安時代末期的歌舞或表演這種歌舞的妓女。身著男裝，一邊打鼓，一邊歌唱著舞蹈。

㉔：今樣(imayō)，日本平安時代中、後期之歌謠。所謂「今樣」，就是時下之意。原從「和讚」衍生之「法文歌」與神樂歌而成爲四句神歌，從而世俗化爲七五調四句之歌謠。初時起於白拍子之間而流行於貴族階級。平安末爲其最盛期。其部分歌詞現存於《梁塵秘抄》之中。明治以後之歌曲亦有帶此曲調者。

㉕：能，完成於室町時代的歌舞劇。平安時代以後，各種演藝相互影響而逐漸發達。至鎌倉時代，近畿地方(京都、奈良一帶)的神事猿樂採納戲劇的要素而發展成爲「猿樂能」。至南北朝時代，其仕於興福寺圓滿井(金春)、結崎(觀世)、外山(寶生)、板戶(金剛)之大和猿樂四個劇團中之結綺座的觀阿彌、世阿彌父子成爲第三任將軍足利義滿(一三五八～一四〇八)之「同朋衆」(侍從)，並得其保護而將以往之「能」裏引進「田樂」之「能」及其他之舞，並予折衷而作出許多新曲，更將其中自古即有之滑稽成分析出爲「狂言」，完成以幽玄之美爲主之象徵的演藝。目前，此類作品約有三五〇種。就其內容言，可析爲：脇能物、修羅物、鬘物、現在物、切能物等五大類。

㉖：岡田正之(一八六四～一九二七)，文學博士，曾受學於重野成齋、藤野南海之門，明治二十年(一八八七)畢業於東京帝國大學古典科漢書科。他先後在東京、學習院、大東文化學院等大學擔任教職。著有《近江奈良朝的漢文學》、《求法巡禮記解說》、《日本漢文學史》等書。

㉗：三善清行(八四七～九一八)，平安初期的漢學家，曾受學於巨勢文雄之門。九〇〇年升爲文章博士兼大學頭。曾參與編纂《延喜格式》，著書有《圓珍傳》、《藤原保則傳》、《善家祕傳》等多種。

㉘：五大遊記，是：圓珍的《行歴抄》，成尋的《參天台五台山記》，瑞訢的《入唐記》，圓仁的《入唐求法巡禮行記》策彥周良的《初渡集》、《再渡集》。都是日本古代旅行中國的外交官、留學僧的重要紀錄，合稱為五大遊記。

㉙：三上參次（一八六五～一九三九），史學家，兵庫縣人，曾任東京大學文科大學教授，史料編纂掛事務主任與文學部長，並參與編纂《大日本史料》、《大日本古文書》等工作。著有《樂翁公與德川時代》、《江戶時代史》等書。

㉚：日本聾話學校，是因為A.K.賴世和博士在日本傳教時，其女費琍亞出生後兩個月，便因肺炎而失去聽覺，其夫人乃將她帶回美國接受聾啞教育，結果，竟能用「口語法」說話。於是夫妻倆就在東京創辦本校，以「口語法」教育日本的聾兒們（在此以前，日本採用「手語法」）。

㉛：源信（九四二～一〇一七），大和人，天台宗僧。幼時上比叡山師事良源，於九八五年著《往生要集》。

㉜：《往生要集》，日僧源信所著佛教經論集，共三卷，成書於北宋太宗雍熙二年（寬和元年，九八五）。該書係從各種經論中引用描寫天堂與地獄之情形的經文，以說明如要往生極樂就得念佛，故被認為是淨土教思想史上最具權威的書。它是日本淨土教的前驅，也給平安時代的淨土信仰及淨土美術很大的影響。

㉝：《清華學報》第一卷第二期（民國四十六年四月）。

㉞：梁容若，〈圓仁與其入唐求法巡禮記〉，收錄於前舉《中國文化東漸研究》。

元明時代中日關係史研究之過去與未來

一、前言

中日兩國的關係，具有兩千餘年的歷史，其在日本國未有正式歷史記載之數世紀以前，即已通中國。王充所謂周時倭人貢鬯草，①南倭北倭屬於燕②之事實雖猶待考證，但范曄《後漢書》卷八五，〈倭傳〉所云倭「凡百餘國，自武帝滅朝鮮（元封三年，前一〇八），使驛，通於漢者三十許國」，則可能爲中日兩國交通之始。兩千餘年來，中日之間，文化的感染，交通之頻繁，政教風俗之影響，經濟工商之交流，屢世增進，代趨發展。③然而我國有關中日關係史研究的著作，在元代以前，除正史的倭傳、倭人傳、倭國傳、日本傳、日本國傳外並不多見。中日兩國關係密切而此一方面之論著不多，此或許由於地大物博的昔日中國王朝之華夷觀使然。

國人之正式開始研究日本問題，係在明代以後，明人之研究日本而有許多著作傳世，可能肇因於倭寇蹂躪大陸東南沿海州縣，受很大禍害。此後，研究中日兩國關係者日增，而尤以近年爲然，此乃可喜的現象。不過，國人在第二次世界大戰以後所研究者，多著重於日本明治維新以後所發生的兩國間之問題，在此以前所發生的歷史事件，或兩國間之文化交流等問題，則較少提及。雖然如此，其研究成果亦有足觀者。

由於中日兩國間發生關係的時間既長，所牽涉之層面也非常廣闊，因此，本文擬僅就元明時代中日兩國關係史研究之過去作一番檢討，並試言今後研究此一領域時應走之方向，以就教於大方。

二、元代中日關係史研究的重要論著

有關元明時代中日關係史的研究，不知已有多少學者從多麼多的角度來加以探討，所以如要把那些論著都加以錄列，或一一加以過目，誠非易事。因此，在此擬就筆者在過去所寓目近千種經由中日兩國學者在民國以後所發表此一領域之著作中，擇其重要者，析為元、明兩部分來作簡單的介紹。

㈠國人的論著：

就元代中日關係史而言，國人有關此一領域的論著既不多，且多屬概論性質，茲分別列舉如后：

⑴**王波楞，《歷代征倭文獻考》**④

作者在〈自序〉中謂本書名之來由「曰征倭云者，欲有刺激而進士人搢紳之側也。」因鑒於中國數千年汗牛充棟之圖籍，無一有關中倭之首尾記載，乃於泛覽之餘，牽條縷紀之，久之成此帙。所述時代則上自周朝，下迄於明。本書共分六章，各時代因繁果累，皆多聯鎖關係。章別以節，自周至明，皆據正朔系統列次。節詳於目，每目所引文獻，以時間排列。目系以按，按語內容，或補文獻之不足，或釋文獻之涵義，或詳中日紀年之對照，或作前後事實之聯繫，間亦申述著者之意見，並附其按語，用爲讀者參究之助。」惟有關元代者不多，全書四〇〇頁中，僅佔五十六頁而已。

(2)**王輯五，《中國日本交通史》**⑤

本書編輯要旨，在闡明中日歷代交通之梗概，並注重說明兩國文化在交通路上之渡涉事蹟，並依中國朝代之順序作爲敘述之先後。對於古代交通史料之須待考證處，及近代交通概況之縱的說明，尤力求發揮盡致。而本書之參考書籍，中文者多參照正史本紀及東夷傳，日文者多取材於辻善之助《增訂海外交通史話》⑥，星野恆《和漢交通史》，木宮泰彥《日支交通史》⑦等。敘述頗爲簡單，乃屬概論性質。

(3)**李則芬，《中日關係史》**⑧

李氏撰寫本書的目的在於中日兩國關係雖然密切，卻無一部比較完整的關係史，爲彌補這個缺憾，提供一本完整而可讀之兩國關係史，以增進國人對於日本的認識，乃「以客觀的態度，審慎地選擇史料，作謹慎的分析，與公正的敘述。」⑨而自太古時代說起，以迄於八年抗戰。故本書係通史性質，並未對每一歷史事件作較深入之探討。

(4)**杜新吾，《中日關係簡史》**⑩

本書所叙述之年代，上自周秦，下至日本戰敗以後，中日兩國簽訂和約（一九五二年四月）爲止。其叙述方式則視史實之隷屬，分用中日兩國紀年，其下皆附以西元，以資換算。並且「力求客觀，不揚此抑彼，以期符史實之眞相；對史料則皆鑑別而後引用。」⑪

(5)**余又蓀，《宋元中日關係史》**⑫

本書所述有關元代的部分，爲元軍東征日本之問題，乃係利用中、韓兩國史料來加以討探其兩次東征之經緯。內容簡單，屬概論性著作。

(6)**蕭啟慶，《元麗關係中的王室婚姻與強權政治》**⑬

本文叙述元室與王氏高麗之婚姻關係，及此關係對兩國政治所造成之影響。而這種影響對元軍東征日本時高麗所採取的立場，當然發生若干作用。

(7)**魏榮吉，《元·日關係史の研究》**⑭

本書除詳述元軍東征日本之問題外，也兼及當時的中日兩國之貿易、禪宗、漢籍、宋元水墨畫東傳扶桑的情形。故其內容已擺脫前此學者所爲問題之個別研究，而具有綜合探討之性質。至其根據各種基本史料作成之許多圖表，對於日後從事此一領域之研究者將有不少參考價值。

㈡日本方面的論著：

就日本學者而言，此一方面的論著實遠較國人爲多，就川添昭二《蒙古襲來研究史論》⑮所輯錄者便有四百五十三種，作者則有三百三十七人之多。它們包括江戶時代之津田元貞的《參考蒙古入寇記》⑯，小宮山昌秀的《元寇始末》⑰，長村鑒的《蒙古寇記》⑱，武元君立的《史鑑》⑲，大橋訥庵的《元寇紀略》⑳，及明治時代重野安繹監修，山田安榮編纂的《伏敵編》㉑等。二十世紀以後的主要著作則有：

(1)**柏原昌三，《日元貿易の研究》**㉒

本論文以為日本與明朝所訂應永條約之內容，有礙日本國民之對外發展，且損及日本之經濟權益。而倭寇之所以肆虐，其目的在尋求自由貿易而非劫掠。南宋時，江南的貿易正要興盛之際，卻因市舶法趨於嚴密，致各港埠的倭寇活動也隨之漸趨活躍。至於蒙古之企圖東征日本，此事對日本商賈與江南人士之友好貿易關係產生負面的影響。作者且說元世祖曾經為與日本交通而不遺餘力。不過元軍之兩次東征對日本之與中國江南地方所為之貿易活動並無多大影響。同時他又述及元朝的市舶政策，和元軍東征以後的中日兩國之關係。而應永條約則是日本對江南貿易的一種阻礙，室町幕府之所以簽訂此一條約，乃忽視日本國民向外發展的一大敗筆。

(2)**柏原昌三，《蒙古襲來の一批判》**㉓

柏原撰述本文的目的在於「探討招致蒙古、日本兩國步上戰爭之路的國際關係，與夫雙方在戰前交涉之經過，從而批判當時的日本國民之對外知識，並衡量其愛國運動是否妥當，對國際的道德之觀念如何？而投以國家發達之里程以反省。」他以為前此日本學者對元軍東征的研究，只偏限於在日作戰的經過，並未探討蒙古向日本所要求的是甚麼？對於鎌倉幕府何以拒絕忽必烈之要求之事，也未曾提及。因此，他乃針對蒙元的第一封國書之內容分成兩點來加以說明：第一是詔告元朝之建國與建元，促使日本朝貢。第二則是希望把日本的貿易船隻引至明州——慶元路，而其詞意懇切。同時他又引用明人《承哲堂集》的〈海上事宜議〉，來證明忽必烈在當時怕日本商船不復前往明州，故其國書在形式上雖是詔諭建元，實則希望繼續與日本通商。由於忽必烈在當時尚未將臨安攻下，故上舉國書乃是攻陷臨安前夕的準備工作。至於鎌倉幕府之所以拒絕蒙元之要求，實乃日本疏北親南之傳統思想使然。而當時客居鎌倉五山的華人僧侶，與在宋代來華學佛的日本僧侶之排斥蒙元的情感，更使這種傳統思想加劇。至於忽必烈第三次遣往日本的使節趙良弼所攜帶的國書，其詞意也仍然洋溢著忽必烈的熱忱，而鎌倉幕府竟將第五度使節杜世忠一行加以斬首。然在蒙古方面，卻於至元十四年（建治三年，一二七七）十一月，讓日本商船進入中國港埠。翌年，該商船也在明州安然從事貿易。柏原在文末說，對外關係史的研究，原應有深厚的國際同情心，然日本在此以前的教育，卻因受愛國至上主義之羈絆，至無法袪除因緣相襲的民族感情，致往往產生阻礙國家發展的結果。

⑶八代國治，〈蒙古襲來に就ての研究〉㉔

本文係利用元軍東征關係的新史料所為二十世紀十年代有關此一領域的傑出成果之一。前此探討元軍東征前後在日本國內發生之史實者雖多，但他之利用《勘仲記》、《弘安四年抄》，及典藏於內閣圖書寮、關戶守彥所藏文書來探討當時的日本公卿有關祈禱降伏元軍之事，卻無比它更詳盡的。不過本文所考察者，係以在日本國內所發生之事爲主。雖然如此，也曾經引起日本學術界之爭議。如：一般學者都認爲當時（弘安四年閏七月）前往伊勢神宮祈禱元軍降伏者爲龜山上皇，而他卻以爲是宇多天皇。

⑷池內宏，《元寇の新研究》

本書刊行於昭和戰前期。此一時期的日本史學界有關元軍東征之研究，可以池內宏、相田二郎爲代表。前者係從元、高麗方面，站在亞洲史的立場所爲之研究，後者則是探討元軍之東征對鎌倉時代的日本封建社會有何規範之日本國制史的研究。相田的研究架構在此一時期雖已大致完成，然其研究發表的形式仍屬問題之個別探討與發表的階段，其各相關篇什之被都爲一冊以問世，乃是戰後之事。故其著作之對日本學術界所產生之影響，要到戰後方纔比較顯著。池內的此一著作被列爲東洋文庫論叢，第十五，發刊於一九三一年八月，乃是這個時期此一領域的最傑出著作。本書最大的特色在於綿密考察蒙元、高麗兩國間的關係，並且充分利用《蒙古襲來繪詞》（竹崎季長繪詞）來說明當時的中、日兩國戰況的演變情形。其論說雖有一、二處爲後世學者——山口修所訂正，㉕然其絕大部分的見解正確，都已成爲定論而殆無疑慮。因此，中村榮孝曾稱美曰：

通觀本書，自始至終將作者獨特的史料批判之主義與方法發揮得淋漓盡致。我相信他在處理、解釋史料之合理的巧妙性與敘述之論理的明快性方面，在學術界有其崇高的地位。他不僅使用曾經被許多人利用過的日方史料，也還利用中國的《元史》、王氏高麗的《高麗史》、《元高麗紀事》、《高麗史節要》、《汎海小錄》、《張百戶碑銘》等，未曾被人公開引用過的幾種史料。而閱盡目前所能見到的史料來撰寫。故可說本書乃元寇研究之劃時代的著作。㉖

池內的著作容或有一部分經後人訂正，但其小疵並無損於本書之價值，而其最傑出處在於其研究方法。其門生旗田巍曾評之曰：

池內博士的研究，可說是一種邏輯學，邏輯的合理性爲其研究之水平。極端地說：合於邏輯者的眞實。即使沒有史料，其被作邏輯的證明之假說是實在的。相反的，即使有史料，如不合邏輯，則那是史料的錯誤，而實際並不存在。這種研究方法含有許多暗示性。池內博士即站在這種立場來排除作爲研究者之個人思想與情感，而專事追求邏輯的。因此，從朝鮮、滿洲的古老傳統與古老文獻中產生不少輝煌成果。而在他的研究裏，探求了祛除思想與人之情感的抽象世界。㉗

(5)**相田二郎，《蒙古襲來の研究》**㉘

與前舉池內宏之大作相對的，相田之書係以探討元軍東征前後在日本國內所發生之事爲主。故其內容乃有關當時御家人㉙擔任防禦工作的情形，及報導元軍東征當時戰況的史料——《八幡愚童記》之新史料，御家人之戰功，構築防禦工事，論功行賞等問題，而其所利用之文獻，則以日本方面者爲主。

(6)**《日本學研究》元寇の役特輯號**㉚

此專輯乃當日本發動九一八事變以後，其軍國主義者左右日本政局而發動太平洋戰爭之翌年刊行者。如據本輯〈編輯後記〉，可知當時的日本學術界編輯此一專刊的目的在於發揚日本的國民精神，並強調日本原是神國，故其軍國、皇國之意識溢於其字裏行間。

(7)長沼賢海，《日本文化史の研究》㉛

此一論著爲二十世紀三十年代元軍東征日本關係之鉅著。其內容主要在探討元軍東征的日方原始史料《八幡愚童記》，東路軍之出動對馬、壹岐、志賀諸島所具有之意義，元軍撤退的地點，元軍集結地點——肥前鷹島，江南軍之出發與其抵達日本的時期，元、日兩軍在壹岐交戰的意義，元軍之行動與日方祈禱關係史料，颶風發生之時間與其風向，以及此颶風對戰爭所造成的影響，在鷹島的作戰問題等，係從多方面來考察東征當時的情況。

前文所舉者固爲日域人士所爲元代中日關係史的主要研究成果，但除此以外，尚有探討相關問題的論著，例如青山公亮的《日麗交涉史の研究》㉜，係叙述王氏高麗時代四七〇年間，日、麗兩國關係史，其中五、六兩章就考察元軍前後兩次東征時高麗所表示的態度與立場，亦即探討當忽必烈詔諭日本時，高麗所扮演的角色，和第二次東征時的高麗之動向。又如石原道博所著〈元代日本觀の一側面〉㉝所探討的雖與元軍之東征無直接關聯，但它是在考察元代的中國人士對日本人的看法問題。石原以爲中國正史一向把日本置於東夷、四夷、夷蠻等傳，至宋則將其篇目改爲外國傳。職是之故，中國人的日本觀在此一時期已與往日有別。然身爲北狄的蒙古入主中原以後，便懷有作爲主宰中國者的中華意識，而在蒙古、日本兩國關係上，其於至元三年給與日本的詔敕之措詞，與以漢人爲中國之帝王時並無二致。而其後之詔敕內容，不僅也還洋溢著世祖與其臣僚的此種意識，就連內心竊喜元軍之東征失敗的鄭思肖，與夏文彥之《圖繪寶卷》卷五，〈外國〉條所見日本畫論之意識亦復如此。石原又認爲中國人之對日本的觀感之發生變化，係在東征軍失敗以後，且其變化發生得非常迅速。抑有進者，中國人對倭寇的恐懼感也相當深刻而此種現象實屬空前。亦即元朝本身固爲出身北狄，猶以中華正統君臨四夷。這種態度且隨其因東征失敗以後對日本的憎惡感結合在一起，而始終將日本視爲夷狄之一。雖然如此，元代仍然保持著唐以來的善鄰友好之態度。所以除東征期間的短暫日子中日兩國間的關係呈現比較緊張外，終元之世，彼此之間不斷的有商務往來，並有兩國叢林㉞接迹於海上而未曾稍衰。

三、明代中日關係史研究的重要論著

㈠國人的論著：

有關明代中日關係研究之國人著作，前文所舉王輯五、王婆楞、李則芬、杜新吾等人之書雖亦述及此一領域之問題，但均屬概論性質而未作個別問題的深入探討，故其特色並不顯著。以下所舉各論著，則是針對某一問題，或整個關係史之全面考察者。

(1)**黎光明，《嘉靖禦倭主客軍考》**㉟

明以武功定天下，革元舊制，自京師以至於州縣，都設衛所，外統之於郡司，內統之於五軍都督府。㊱當時東南沿海各州縣爲要防倭寇寇掠，故其設防也較爲完備。然因當時沿海衛所之部隊腐敗，難於應付倭寇，所以不得不調客軍來禦侮。但客軍之害也並不亞於倭寇。故本文乃就當時的主軍與客軍對討伐倭寇之問題作一深入探討，並能利用方志來立論，此誠爲不易得之事。

(2)**陳懋恆，《明代倭寇考略》**㊲

本書係針對有明一代的倭寇之組成份子，及其寇掠情形作簡單的介紹者。誠如書名之所示，它對當時倭寇的肆虐情形並未作深入探討。故讀者只能從中獲得其騷擾我國東南沿海各州縣之一端。

(3)**張維華，《明代海外貿易簡論》**㊳

張氏以爲明代海外貿易的基本性質是當時中國商業資本活動的一部分。商業資本的發展建立在商品生產上，而產品的性質，與當時社會的性質分不開。當時控制著海外貿易的，首先是代表專制王朝的皇帝，其次是官僚地主和商人地主。明王朝之所以要控制海外貿易，除了海外諸國採取所謂「羈縻手段」的政治原因外，主要目的在於取得統治集團所需要的各類奢侈品，及發財致富，發展他們自身的經濟。然而明代的社會，自十六世紀與十七世紀的前四十年代，中國社會內部產生了資本主義萌芽，我們如果不忽視這一點，在研究明代海外貿易時，就必須探討它對於當時中國社會發展起了怎樣的作用。本書所考察的明代海外貿易的範圍相當廣泛，但對明代的海禁政策與專制政權直接控制下的海外貿易之發展與其演變情形，及明代私人海外貿易的活動和發展情形，尤其當時私販的性質，活動方式，倭寇、海寇之患與海外貿易的關係等問題，均能作簡明扼要的叙述，並且認爲私販在明代整個海外貿易活動中佔有最重要的地位，而這種貿易與專制政權的海禁政策之間存在著互不相容的矛盾。

(4)**陳文石，《明洪武嘉靖間的海禁政策》**㊴

本書所討論者侷限於洪武、嘉靖兩朝的海禁政策之探討。陳氏以爲明代的海禁政策，不僅違反了有無相遷的自然要求，也忽略了濱海地區的自然環境，阻塞了唐宋以來國人向外發展的趨勢。而明代的貢舶貿易，乃與海禁政策連帶產生的問題，一方面有期限、人員、船隻等等的限制，一方面對於互市交易又管制得極嚴。一般番商因爲不能取得勘合，便只有偷泊外島，勾引私梟，秘密貿易，於是貢使走私，番商偷販，以及官吏包庇等弊竇，日甚一日。結果，明代的海禁政策，不僅釀成巨大禍亂，更嚴重的阻抑了國家民族的海上拓展。本書不僅能將其視野擴及於當時的東亞世界，也兼及明朝的海禁政策所造成的中日兩國之因果關係。

(5)**鄭樑生，《明史日本傳正補》**㊵

作者以爲中日兩國關係雖然密切，但在元代以前國人之研究日本問題者直如鳳毛麟角。明代以後乃有研究日本之專著問世，而論著內容則以倭人之朝貢、寇邊，與倭情、倭好、倭利及討倭等爲主。且內容多欠完整，叙述也未盡正確。故正史《明史》〈日本傳〉有待補正者亦復不少。因此，乃利用其經十餘年之探索所獲中、日、韓、琉球四國之近千種文獻史料來訂正、補充該傳。且以諸前賢所研究成果爲基礎，再檢討上述史料，而依該傳所紀述之先後，來訂正每一事件，與本文有關而漏列的，則以「補」的方式予以充實，並繪地圖，附於各該相關處，以供讀者之參考。

(6)**戴裔煊，《明代嘉隆年間的倭寇海盜與中國資本主義的萌芽》**㊶

作者以爲明代嘉靖、隆慶年間的倭寇、海盜等問題，向來被封建統治階級歪曲了事實，掩蓋了眞相。明朝封建統治者站在反人民的立場，把我國人民反對封建海禁，要求發展海外貿易，溝通與日本、東南亞、南海各國商品交流的運動誣蔑爲倭寇、海盜。由於受封建史料的欺騙，多少年來，這場反映我國資本主義萌芽，反對封建壓迫的事實被掩蓋了。當時的封建地主階級咒罵爲倭寇、海盜，後人也跟著前人一直罵了四百多年。這種地主階級的立場觀點，思想意識，一脈相承，陳陳相因。這種觀點，値得研究。因此，本書乃對當時的史實作一番考證和分析，欲將此種觀點顚倒過來。

(7)**鄭樑生，《元明時代東傳日本的文獻》**㊷

本書「對於元明時代之中日交通，當時日本研究漢學之風潮，日本禪林文學之盛況，中國禪學內典、外典之東傳及其影響，前因後果剖析入微。至於所列書目，更集今所能見之當時佛教經論章疏，以及經史子集之所有書目，條列詳實，典據有徵，由此可見中華文化遠播東瀛之盛況。」㊸本書價値除上述者外，「註釋之詳實，尤爲一大特色。由於是書牽扯所及，有日本漢文學史，中國元明史，及中日佛教史，因此註釋中旁徵博引，加以解說，於文中若干佛教術語，且又要言不繁的說明，使不明白日本史及佛教史者，均能迅速了然於心，此爲本書一大貢獻。」㊹

⑻汪向榮，《中日關係史文獻論考》㊺

本書共收錄中日關係史論文八篇，前四篇屬於唐代以前的兩國關係之論著，後四篇則以明人鄭若曾的《籌海圖編》，薛俊的《日本考略》，來考察明代的中日兩國關係，並以宋應昌的《經略復國要編》來探討明廷遣軍援朝抗日之事。

⑼鄭樑生，《明代中日關係研究》㊻

本書係以《明史》、〈日本傳〉所見幾個問題爲中心，然後將明代的中日關係作綜合性探討。作者在進行研究、考察之前，首先擬定「明朝的對外政策」、「中日兩國的政治上來往」、「倭寇問題」、「明朝與豐臣秀吉的關係」等四個主題作爲中心論題，比較中國、日本、韓國、球球四國汗牛充棟的文獻史料，而站在明代中日關係，以取代胡元建立王朝之明的華夷體制爲基礎的東亞國際關係史之其中一環的觀點，來探討其對明朝的海禁政策之性格與變遷；勘合制度的實施狀況；明、日交通時日本對應的態度；倭寇活動的原因與其寇掠實情之瞭解和日本國情的關係；豐臣秀吉對外侵略的目的與其侵略經過；《明史》〈日本傳〉所紀錄的秀吉形象等等，有關明代中日關係研究的重要問題之獨特見解，與提示對各種史料之批判之深入，從而闡明上述各種問題之相關關係。並企圖超越以前對此問題的個別研究之畛域，收綜合研究之成果。㊼「此書之完成，可以稱得上總結明代中日關係研究之顛峰，在國際上研究此專題之衆學人中，不作第二人想。作者沈潛中日關係史研究二十年，此毅力宏願，可不必再予美言推讚，因此書之出版，已肯定作者之心血與學術地位。」㊽

⑽鄭樑生，《元明時代東傳日本的水墨畫》㊾

日本自從停派遣唐使以後，逐漸產生其本土之「國風文化」。其繪畫界也標榜日本固有傳統為依歸，因而將華夏之富贍之材料感受，銷融於其傳統精神之下，鍾鑄成穩雅優美之趣旨，高超之韻致，而顯其東土風貌。本書乃探究日本政壇變革，公卿政權式微，武人政權相繼崛起，其畫風也隨之改變為雄健之筆觸，活潑之生命力，崇尚寫實之精神。而自十五世紀中葉以後，受禪宗影響所致，轉而喜愛清淡高遠之宋元水墨畫風的經過，日本中世人士評水墨畫的標準與態度，流傳日本的水墨畫和它們傳佈的情形，以及宋元水墨畫對日本的影響。

⑾林仁川，《明末清初私人海上貿易》㊿

如據本書〈前言〉所紀，則作者從蒐集資料到最後完稿，曾經歷了二十多個春秋。它主要探討明代私販發展的歷史背景，私販商人反對海禁的鬥爭情形，私販集團形式與走私港埠的出現，那些私販前往的地區，貿易品、貿易額、利潤率，私販的管理與條令，此種海上貿易的特質，它對當時的社會經濟之影響，以及他們所遭遇的困難與障礙等。並且對於發生嘉靖大倭寇的原因，也提出與前此各種學說不同的獨到見解而頗值得傾聽。

⑿汪向榮，《明史日本傳箋證》51

本書內容雖與前舉鄭著《明史日本傳正補》相似，但本書乃僅依《明史》〈日本傳〉所紀文字之先後來加以箋注。誠如作者在〈前言〉中所說，作者作箋證時，係先利用《明實錄》來補充其不足，而後再以兩國有關的史料，來校核、辨僞，以求詳盡，俾從事明代中日兩國關係研究的，能有足夠的資料可據。不過，作者所引用者多爲原始資料，對於日後學者所爲探討事情眞相的論文少有引用，致有些未能傳達事實的資料也被原原本本的引用上去。

⒀鄭樑生，《中日關係史研究論集》㈠[52]

本書乃根據《明史日本傳正補》一書所引發之若干問題，對明代中日兩國之關係作更進一層之探討。凡收錄論文六篇，都十餘萬言。其編排依問題性質之相近爲次。各篇雖有探討之主題，然多不出於明、日關係之範圍；各文雖獨立成篇，而其間關聯之脈絡，亦隱然可見。

⒁鄭樑生，《中日關係史研究論集》㈡[53]

本論文集乃作者有關中日關係史之短篇集結而成，都集中在漢籍東傳的蠡測及對日本文化的影響這個主題上。前五篇分別在政治、宗教、醫學、經典、軍事等各層面的東傳及其相關事宜逐一探討，最後則落實地舉出一傑出學者具體的漢學研究爲例證作總結。雖別爲六篇，而首尾貫串，一體混成。而其中關聯之人、事、脈絡，亦可相互映照，以見多豹。

除上述外，李獻璋（行宜）的〈嘉靖大倭寇（在日海賊）——明代漢奸の資料的素描〉[54]、〈嘉靖海寇徐海行蹟考〉[55]、陳文石的〈明嘉靖年間浙福沿海寇亂與私販貿易的關係〉[56]、李洵的〈公元十六世紀的中國海盜〉[57]、林仁川的〈明代私人海上貿易商人與倭寇〉[58]、陳抗生的〈嘉靖倭寇探實〉[59]、王儀的〈明代平倭史實〉[60]、林麗秀的〈日本黃檗宗宗祖隱元禪師研究〉[61]、鄭樑生的〈明永樂年間的中日貢船貿易〉⑥2、〈嘉靖年間明廷對日本貢使策彥周良的處置始末〉⑥3、〈明萬曆年間朝鮮哨報倭情始末〉⑥4、〈日本五山禪僧對《中庸》的理解及其發展〉⑥5、〈《論語》研究在日本〉⑥6、〈明隆慶初右僉都御史塗澤民議開海禁的貢獻蠡測〉⑥7、〈明嘉靖間浙江巡撫朱紈執行海禁始末〉⑥8、〈日本五山禪僧對《論語》的理解及其發展〉⑥9、〈王忬與靖倭之役〉⑦0、〈明代中日兩國外交管窺〉⑦1、〈壬辰之役始末〉⑦2、〈張經與王江涇之役〉⑦3等都值得注意。

㈡日本學者的論著：

(1)**三浦周行，《日本史の研究》第二輯（一九一二）所收錄之對外關係史論文。**

三浦的論著之特點在於史料的運用，與大局觀方面有其獨到之見解。尤其在堺市史（一九二九至一九三〇）中，將商人從事海外貿易之活動與日本國內之動向的關係結合在一起，以詳細探討、闡明當時的中日兩國間之貿易關係。

(2)**柏原昌三，《日明勘合貿易に於ける細川大內二氏の抗爭》**⑦4

此文乃日本學者將明代的中日貢船貿易作有系統的研究之第一篇論著，而所謂「勘合貿易」一詞，係從本論文開始使用。它對此一朝代的中日貿易之各種制度，以及日域人士爲爭取這種貿易權所爲細川、大內二氏之相互傾軋的情形有其獨到見解。至其論述之重點，則放在明代中日關係史上有關貿易的問題。

(3)**小葉田淳，《中世日支通交貿易史の研究》**⑮

本書係作者廣泛蒐集中日兩國之文獻史料，並利用《李朝實錄》之若干記載來深入考察明代中日兩國間的貿易，及由此貿易所衍生之問題。而對於日方遴選使節之經緯，使節團之組成方式，貢船之大小，貢使一行在華期間的一切活動情形，與夫明朝對他們的一切供億等，也都有相當詳盡、深入的考察，而無人能出其右。

(4)**木宮泰彥，《日支交通史》**

此書乃上自太古起，下迄於清代的中日兩國關係作有系統的概論性之探討，而著重於文化交流方面，且以僧侶（元明時代則爲禪僧）之來往爲中心，來考察各朝代的中國文化之東傳、移植日本的情形。後來將此書修訂、增補，更名《日華文化交流史》，於一九五五年由東京富山房發行。

(5)**辻善之助，《增訂海外交通史話》**

本書乃廣泛蒐集日本國內之史料而加以利用。它所探討的年代並不侷限於元明，所考察之層面也不限於貿易方面而亦從文化方面來考察，是其最大特色。惟書中之措詞往往有強烈表示其民族自尊心和民族優越感之處，而甚少利用中國方面的文獻史料。

(6)**秋山謙藏，《日支交涉史研究》**⑯

本書特色在於將視野擴及於當事兩國以外的三個國家以上之東亞國際關係來考察，同時也顧及此一交通與日本國內經濟之關聯方面。本書所叙述之年代範圍與上舉木宮、辻兩氏之論著相仿，而書中措詞亦往往有表現其民族自尊心與優越感之處。

(7)**竹越與三郎，《倭寇記》**⑺

本書對倭寇之起源，倭寇所使用之船隻，倭寇之特性，倭寇寇掠中國東南沿海各州縣的目的、缺點，日本室町時代的幕府、寺院、守護大名所從事的中日貢船貿易之情形，足利義滿對這種交通方式所表示的態度，以及幕府將軍從貢船所能獲得之利益等問題，均作概略性叙述，而爲二次世界大戰以前探討明代倭寇問題的鉅著。

(8)**石原道博，《明末清初日本乞師の研究》**⑻

本書内容是在考察明亡以後，鄭成功、崔芝等人向日本、琉球等國家乞師或乞資的情形。

(9)**牧田諦亮，《策彥入明記の研究》**⑼

本書分上、下兩冊，上冊收錄京都天龍寺妙智院禪僧策彥周良於明世宗嘉靖十八年以副使身分，二十六年則以正使身分來華朝貢時所紀〈初渡集〉與〈再渡集〉。下冊則收錄牧田對策彥和尙所爲之研究論文，如：〈策彥周良傳〉、〈五山文學史上的策彥〉、〈策彥入明記所見之明代佛教〉、〈策彥將來之圖相、南北兩京路程及其類書〉、〈漂海錄與唐土行程記〉，並附朝鮮人崔溥所撰《漂海錄》三卷之全文。因〈初渡集〉與〈再渡集〉對明代日本貢使來華期間的一切活動，明朝對他們的種種供億，以及自寧波至北京的驛站與驛程均有詳細的紀錄，而且牧田又對它作相當深入的研究，所以本書不僅是研究明代中日兩國關係的重要文獻史料，也是研究當時利用大運河之交通與夫社會情形的重要資料。

⑽田中健夫，《中世海外交涉史の研究》⑻
本書主要利用日韓兩國之文獻史料來考察倭寇之變質情形，及日、朝貿易之開展；博多商人對日、朝貿易所作之活動；李氏世宗朝的日、朝兩國之交通問題；日本中世之對馬與宗氏之勢力擴張；遣明貢船貿易家楠葉西忍與其族人；《善鄰國寶記》之成書背景；日本中世的日、朝貿易權之變遷；《籌海圖編》之成書問題；《島井宗室日記》，以及中世海盜史研究之動向等，而將其重點放在日、朝兩國關係方面。

⑾田中健夫，《倭寇と勘合貿易》⑻
本書雖探討倭寇與中日貢船貿易問題，但對於高麗、朝鮮之對應倭寇問題所爲之敘述的篇幅甚多。

⑿田中健夫，《中世對外關係史》⑻
本書係利用日韓兩國史料，及若干中國文獻來考察十四世紀以前的東亞各國之間的關係，與明和日本之間的冊封關係之成立與其意義；冊封關係成立的各種條件；日本與明、朝鮮兩國交通貿易的開展；萬曆朝鮮之役發生前後的對馬島主宗氏的態度與其行動等問題，並兼及十七世紀日本實施閉關自守（鎖國）以後的日、朝兩國之關係。本書也是將視野擴及於當事兩國以外的當時之東亞局勢來立論。

⒀田中健夫，《對外關係と文化交流》⑻

本書共分兩大部分：第一部分考察中世的明、朝鮮、琉球之三國關係，和足利義滿的外交、勘合、勘合印章、勘合貿易；從文書形式所見足利義滿與琉球國王之關係；三宅國秀之遠征琉球計畫；遣明船與八幡船；中世在東亞的國際認識之形式等問題，多是將其前此所發表之論文重新整理而成篇。第二部分則是專言萬曆朝鮮之役以後的對馬島所發生之種種問題。所以並非完全針對中日兩國問題來立論。

⒁田中健夫，《倭寇》[84]

本書分別考察十四、五世紀之倭寇與十六世紀之倭寇的差異，及此一時期的倭寇與明朝的關係；足利義滿的朝貢明朝；十六世紀的倭寇之蠢動與當時倭寇活動的特質，明朝對那些寇盜的對應；並兼論中國人所見十六世紀之倭寇與日本之問題。

⒂佐久間重男，《日明關係史の研究》[85]

本書乃從作者在擔任北海道大學及青山學院大學的四十年所撰寫衆多論文中選出十數篇有關明代的對外貿易及對日關係之十數篇文字加以若干修正或補訂而成。其內容共分〈序論〉、〈本論〉、〈終論〉三大部分。〈序論〉探討在基本上明代的基本方針如何，它與歷代王朝有何不同？可視爲明代對外方針之特色的朝貢貿易與海禁政策到底意味著甚麼？此一部分即從制度史上來考察其意義與內涵而成篇。〈本論〉分爲一、二兩篇。第一篇考察在洪武、永樂、宣德三朝，亦即在明代前期，中日兩國在政治、外交上所發生的問題究竟如何開展，或變遷，對日本的朝貢貿易之種種設限到底如何產生等問題。第二篇則探討在明朝海禁體制下，中國海商之從事走私者日益增多，而部分日本人士也加入其行列，終於引起嘉靖三十年代的倭寇猖獗，隆慶元年（一五六七）以後則開放部分海禁，而可以漳州為中心，往販東西兩洋的經緯。〈終論〉則言承襲明朝之華夷體制的明朝兼採明初以來之朝貢貿易與明代後期所公認之民間貿易的對外政策。

以上所舉論著，都是對問題之個別研究作深入探討，而且能顧及當時之東亞國際情勢者。

四、今後應走之方向

前文所舉者，乃中日兩國學者所作有關元明時代中日關係史研究的代表作。日本學者在第二次世界大戰以前，或在大戰期間所為問題之個別研究累積下來的成果，我們雖無法一一加以列舉，但在戰後往往被認為僅是「交通史研究」的戰時論著中，無論他們的論點是甚麼，他們對問題的處理情形如何，卻在發掘基礎的史實方面有其貢獻。同時，那些論著也發掘了許多有關在日本各時代的社會中，中國文化到底以甚麼方式，經由甚麼途徑東傳扶桑，各該時代的日本人心目中的中國之形象如何？中國人心目中的日本人之形象的變化又如何等問題。除中日兩國關係外，當時在東亞國際舞臺上活躍的琉球、朝鮮以及葡萄牙人之東來等等，將他們在東亞海域的多角形之交通情形，與夫日本各階層人士的對外意識，各種文化之東傳日域的許多史料都能夠發掘出來。至於在組織當時之東亞國際上成為關鍵性的具體人物與文物之流通、交流方面的相關資料之發掘與介紹、整理等方面，也是功不可沒。

然國際關係不可能僅由當事兩國之間所形成，它必受第三國，或更多國家之影響以後始形成，因此，必須將其各方面之相互間的關聯探究明白以後，方纔能夠使該兩國之間的關係之全貌凸顯出來。基於這個理由，在此擬分別敘述今後研究元明時代中日關係史時應顧及之問題的個人看法。

㈠元代中日關係史研究：

如衆所周知，當蒙古經略朝鮮半島之前後，高麗政權已旁落其權臣崔氏之手。崔氏四代前後約六十年（一一九六～一二五六）間，曾經掌握政權，使高麗政治面臨很大的轉變。高麗建國時（九一八），適逢中國五代之混亂時期。由於當時的中國勢力已不及於此一半島，故高麗乃得不受大陸之干涉而發展。然當北方的契丹、女眞、蒙古相繼崛起以後，高麗便直接受到它們的威脅。迄至顯宗時（一〇一〇～一〇三一），更屢受契丹之侵略，致首都爲其所佔領。契丹之後，則女眞繼續騷擾其北方疆域，繼則蒙古經略其地。蒙古係從崔氏擅權的高宗十八年（南宋理宗紹定四年，元太宗三年，一二三一）起約三十年之間，每歲進入朝鮮半島。高麗爲避此一災厄，竟拋棄其本土而將其中央政府遷至江華島。結果，那些被遺棄的民衆備嘗塗炭之苦。因蒙古對高麗的高壓政策毫無止境，而高麗政府本身又無法找出解決之道，致其民衆對崔氏政權怨聲載道，結果崔氏政權遂因政變而倒下。崔氏滅亡以後，高麗政府乃走出江華島，降伏於蒙古，而蒙古之經略高麗遂亦止息。於是高麗完全成爲蒙古之屬國，失去獨立自主，在元軍東征時，背負供應兵員、船隻、糧秣，及其他戰略物資等沉重負擔。而每

一個高麗國王也都娶蒙古帝室之女，並在蒙元宮廷生活，成爲大元帝國之一員，來統治高麗。(86)

由於蒙古與高麗的聯姻，不僅對當時的中韓兩國關係作實質的反映，也是維持兩國關係的基礎。因此可說，此一聯姻乃成爲它們各自爲達到其政治目的的一種工具。於是元室公主之下嫁，就成爲蒙元控制高麗的手段，而高麗也因請公主之下嫁，以爲求取自己國家內外安定的保證，並以之爲在元朝世界的國際社會中提升自已地位的手段(87)。

然蒙元之所以允許與高麗通婚，實乃爲加強對高麗的統制，並使高麗在其攻打南宋與東征日本時有所協助。而忽必烈之所以終止前此所採取對高麗用武，改用懷柔方式，乃由於單憑武力並不易使其完全屈服，而高麗所處的地理位置對於它的經略南宋與日本又有非常重要的關係。(88)職是之故，元與高麗之間的關係，並不能僅以傳統的封貢關係來處理。

就元軍東征問題而言，前舉池田宏之大作，及相田二郎的《蒙古襲來の研究》、龍肅的《蒙古襲來》(85)等，雖頗盡詳密之能事，卻有過於偏重問題之個別研究之嫌，很難說將當時的中日兩國關係作綜合的把握。並且在東征軍出發之前的高麗之造船問題，也迄今仍未明瞭。當時，蒙元雖曾嚴命高麗在短短幾個月內必須建造數百艘軍船，但那些軍船所使用的材料，船隻之大小、結構、性能、形狀如何？東征軍之失敗，與那些船隻之結構、性能是否有關？

就戰鬥過程之研究而言，元軍之究竟以何種方式來補充、輸送糧秣、飲用水？太田弘毅雖已在其〈文永・弘安の役における元軍の水と糧食問題〉(90)考察過，然此米、水之補給問題，不僅牽涉到兵員之補給與元、高麗及南宋之船隻問題，而且也是研究戰鬥過程的基本問題。就船隻問題而言，除上述者外，也尙與他們的航海技術，水軍兵員之編制有關。所以這些問題也是我們在今後必須探討的。

至於利用近年由日本學者在當時的主要戰場之一的伊萬里灣鷹島海域打撈的，元軍所使用之各式武器、軍裝、印章、佛像、經筒，以及陶瓷器來作相關之研究，亦即從事所謂之水中考古學之研究，也不能忽略。

在元代中日關係史上，除忽必烈兩次東征之問題外，禪僧之來往問題也須加以留意。因爲當時中國文化之被東傳或移植，中日兩國禪僧之功至偉。舉凡日本人士日常進食習慣之改變，飲茶習慣之養成，住宅結構之變異，宋代性理之學的傳播及其發展，水墨畫之東傳及其發達⑼，窯業、紡織業的進步，宗教信仰、文學思潮的影響，以及漢籍、各種文物之東傳等等，莫不與那些禪僧有關。不過他們，尤其那些華人禪僧在日域所造成之影響，與夫他們的生平事蹟，雖已有人曾經探討過，但未明瞭之處仍多。所以解開那些疑問，實爲我們今後必須要做的工作。

又，在與此領域相關之文獻史料方面，除中國正史、《高麗史》、《高麗史節要》、《元高麗紀事》等中韓兩國之史料外，其有關元代中日關係史研究的絕大多數基本文獻史料都典藏在日本九州一帶，有一部分則典藏於京都、鎌倉的寺院中，此乃在從事資料蒐集時必須留意的地方。

㈡明代中日關係史研究

就明代中日關係研究而言，雖已有中日兩國的許多學者從許多不同的角度來探討過，但也仍有若干問題有待今後來解決。例如：前此日本學者所爲之研究，他們雖然竭盡其力，將他們所能看到的文獻史料作最有效的利用，而有其輝煌的研究成果。但是，明代中日關係史研究的基本文獻，中日兩國所典藏者都相當豐富，而日本方面的資料多與日方人士在其國內之活動有關，至於他們買棹西航抵達中國以後的種種行爲之相關文獻史料，則非從中國方面來蒐集不可。因此，前此學者在研究相關問題時，多未能利用中國文獻，尤其是善本資料，此未嘗非一件可惜之事。就倭寇問題而言，他們所利用者，多屬鄭若曾的《籌海圖編》、《江南經略》、鄭舜功的《日本一鑑》、茅元儀的《武備志》，及《明實錄》、《明史》等官方文獻，而鮮有用及其他當時人之著作，如徐學聚的《嘉靖東南平倭通錄》，采九德的《倭變事略》等史料，至於東南沿海各府州縣所刊行的方志之利用，直可說是絕無僅有。其中有關方志之倭寇史料問題，筆者已在國立中央圖書館於一九八四年四月所主辦「方志學國際研討會」中，介紹其所紀資料對倭寇問題研究之重要性㉒，而對於日本貢使來華時的有關資料問題，也在該館於一九八八年十一月所主辦的「漢學研究資源國際學術會議」中，以「善本書的明代日本貢使資料」爲題加以介紹過。至於當時的文武大員對於倭寇所持之意見，明朝決策當局對於倭寇，與夫對那些誘倭、勾倭的中國奸民之處置意見，明朝與王氏高麗、李氏朝鮮所採取處理倭寇的政策之異同；明朝職官以及一般民衆對此一災患所持之態度；它對當時社會經濟，國家產業所造成之影響，初時官軍所以屢戰屢敗的原因；雙方戰術的異同等等，在在須要我們今後來逐一解決。

至於在剿倭當時，除調用各地方的駐守部隊外，也還調用客軍，而那些客軍在剿倭各戰役時所扮演之角色如何？其利弊又如何？戚家軍在討伐閩廣倭寇時曾經建立很大功勳，此戚家軍的特色在那裏？他們究竟以何種方式來作戰？戚繼光以何種方式統率他們？這些也是我們亟欲瞭解的。

大家都知道，在萬曆二十年四月，日本豐臣秀吉以十數萬大軍入侵朝鮮半島時，明朝曾應朝鮮王李昖之乞求而派遣數十萬大軍東援。其實明朝在決定援朝之前，朝鮮之將日本即將入侵之消息哨報於明的過程頗爲曲折。㊸當時明廷決定派遣援軍的經過，明廷用於支援朝鮮所用的經費，糧秣的運輸、兵員、武器的補充，兵部尙書石星遣沈惟敬與日方進行和談時的明廷之反應，以及在此一戰役過後，明朝在軍事上、經濟上、社會上所受之影響又如何等問題，都至今尙未探究明白。

在有明一代，雖因明廷實施下海通番之禁，致中日兩國人民無法自由往來，然在當時仍有不少華人東渡，並在日域落地生根，且在扶桑文化史上有其相當之貢獻。那些人物之生平事蹟，也有必要把它弄清楚，給予客觀的介紹。

我們得在此一提的，就是在硏究明代中日關係史時，除一般所見文獻之外，其多數資料都埋藏在目前典藏於臺灣公藏的善本書中。那些善本資料，不是少有人利用，就是從未被人公開引用過，只因爲它們之絕大多數未被利用過，致前此硏究之成果，往往因後來看到那些資料而須將過去所硏究者加以修訂，或對某一問題須加以重新評估。所以今後在從事此一領域之硏究時，最好能事先遍查目前在臺灣所有的一切方志與善本，如此，方能把事情的眞相弄淸楚。至於前此佚存日本的若干相關史料，如：朱紈的《甓餘雜集》⑭，侯繼高的《全浙兵制考》⑮，鄭大郁的《經國雄略》，許重熙的《嘉靖以來注略》，以及許多明人文集，明、清兩朝刊行的東南沿海各州縣的方志等等，臺北漢學研究中心已於近年設法從彼邦影印架藏，對於日後之研究當有莫大裨益。而鄭樑生更將臺灣現有之明代中日關係史相關之一切文獻史料加以蒐羅校訂，名《明代倭寇史料》，由臺北文史哲出版社陸續出版。如能利用此一《史料》，當可免為蒐集資料而來的奔波之苦。

六、結語

以上係就東亞國際關係中的元代之中日韓三國間的情勢，與其主要著作，及明代中日兩國關係之主要論著作簡單的介紹，並對今後從事此一方面之研究時應顧及之處作若干建議。然就如前文所列舉之著作所示，前此所為之研究多傾向於問題之個別研究，而未能將整個時代的關係作通盤的考察，並站在比較史學的立場來作問題的探討。所以今後的研究，除須表露中國學者傳統的方法論與其優點外，更應站在比較史學的觀點，對每一歷史事件作客觀、徹底而深入的探討，如此，對學術界的裨益將更多。而《元史》〈日本傳〉的記載之過於簡略，及其紀事之有若干失實之處，實有待今後之補正。至於在明代同樣被國人目為倭寇的葡萄牙人在華活動之情形，也有待我們今後之研究。

〔註釋〕

①：王充，《論衡》卷八，〈儒增篇〉云：「周時天下太平，越裳獻白雉，倭人貢鬯草。」卷一三，〈超奇篇〉則云：「暢草獻於倭。」

②：《山海經》卷一二，〈海內北經〉云：「蓋國在鉅燕，南倭北倭屬燕。」

③：甘友蘭，《日本通史》（臺北，臺灣東方書局，一九五八），頁一。

④：王婆楞，《歷代征倭文獻考》（臺北，正中書局，一九四〇年十月）。

⑤：王輯五，《中國日本交通史》，（臺北，臺灣商務印書館，一九七五年三月，臺三版）。

⑥：善之助，《增訂海外交通史話》（東京，內外書籍株式會社，一九二六年三月）。

⑦：木宮泰彥，《日支交通史》（東京，金刺芳流堂，上，一九二六年九月；下，一九二七年，十月）。

⑧：李則芬，《中日關係史》（臺北，臺灣中華書局，一九八二年十月）。

⑨：李則芬，前舉書〈序〉，頁一。

⑩：杜新吾，《中日關係簡史》，（臺北，華國出版社，一九五四年七月）。

⑪：杜新吾，前舉書〈凡例〉。

⑫：余又蓀，《宋元中日關係史》，（臺北，臺灣商務印書館，一九六四年八月）。

⑬：蕭啓慶，〈元麗關係中的王室婚姻與強權政治〉，收錄於《慶祝中華民國七十年中韓日關係史國際學術研討會論文集》（臺北，中華民國韓國研究學會，一九八三年二月），及蕭啓慶《元史新探》（臺北，新文豐出版公司，一

九八三年六月)。

⑭：魏榮吉，《元・日關係史の研究》(東京，教育出版センター，一九八五年四月)。

⑮：川添昭二，《蒙古襲來研究史論》(東京，雄山閣，一九七七年二月)。此書乃對前此日本學者所爲元軍東征日本問題之研究論著，依其刊行之年代次序，介紹其主要論著之內容、特色，及其撰著之目的。

⑯：津田元貞，《參考蒙古入寇記》，全書共五冊，未刊行。(日本嘉永七年(一八五四)，東允俊尋書，九州大學文學部付屬「九州文化史施設」藏本)。著者的皇國意識頗強，他以爲趙良弼自日返華後對忽必烈所爲有關日本國情之報告，有辱日本，故以憤懣的語氣來加以反駁。此乃日域人士有關元軍東征日本問題的最早著作。其敍事雖有失實之處，卻係從元、日兩國之開始交涉起，至忽必烈死後的元成宗之遣使招諭爲止，一面批評史料，一面以平易筆法來書寫者。成書於一七五八年。

⑰：小宮山昌秀，《元寇始末》，本書所紀之年代，上自蒙元之遣使招諭日本起，下至元成宗遣一山一寧赴日以後，外國船隻於一三〇一年出現在薩摩甑島之近洋時爲止。它執筆於一七八七年俄人正虎視眈眈於其蝦夷(北海道)，而彼邦人士正爲此議論北方國防之時。故它之問世，似有藉元軍之東征日本問題，以喚起其幕府當局提高警覺之作用。

⑱：長村鑒，《蒙古寇記》，本書「文化十三年(一八一〇)丙子春正月」之長村鑒〈序〉云：「其事散見乎群書中，亦惟影響之僅存。加以無稽之說，後之作者相繼演說，仍未免錯謬、闕遺之失。是以不自揆，姑以管見鈔摭(日本)國史、野乘所載，雜採《元史》及《東國通鑑》等編年紀事，命曰《蒙古寇記》。」所紀時間則自其龜山天皇文應元年(一二六〇)起，至後二條天皇延慶元年(一三〇八)止，凡四十九年。引用書目共四十三部。

依年次舉其綱文，然後引用相關史料。其特色之一在於所利用之史料以《元史》及《東國通鑑》爲主。特色之二則在於將其著述目的放在顯揚元軍東征當時的鎌倉幕府執權——北條時宗的功業方面。

⑲：武元君立，《史鑑》，此書雖非探討元軍東征日本之專著，但對此一歷史事件有其獨到之見解。作者以爲元軍之東征乃如要避免就可以避免之戰爭。當時鎌倉幕府之所以擺出高姿勢，而對蒙元採取挑戰的態度，除對當時的中國文化欠缺瞭解之外，鎌倉武士強烈的尚武意識，及幕府當局之不以蒙元爲中國正統有關。著者以爲蒙元雖出身夷狄，但既已滅宋入主中原，則不應對元表示敵對態度而應該對宋一樣，與之締結邦交。而元軍之所以會東征日本，乃由於幕府當局將蒙元視如胡，有民族的差別意識使然，故對此頗加責難。他認爲爲政者宜求民衆生活之安定，而保障民衆生活之安定與幸福的條件就是和平。至其立論，則是根據《大日本史》、《日本外史》而來之史料，並折衷《資治通鑑》、《本朝通鑑》、《通鑑紀事》、《唐鑑》等史書之書寫方式，及《本朝通鑑》之歷史觀來執筆。

⑳：大橋訥庵，《元寇紀略》，分乾、坤兩卷，並附〈元寇年表〉，此表爲上舉諸書之所無。大橋在〈序〉文中謂：「欲觀北條氏殲寇始末，採諸書展閱，則間見錯出，茫如泛煙海。獨塙（保己一）氏、小宮山氏、長氏所纂博引旁證，條理秩然，洵爲佳編。而彼此牴牾眩心目者，亦間有之。於是竊不自揣量，以三家書爲底本，更稽之群籍，訂紕繆，補遺漏，參伍錯綜，鉛槧數次，始克成編，名曰：《元寇紀略》。」亦即他以塙保己一的《螢蠅抄》，小宮山昌秀的《元寇始末》，長村鑒的《蒙古寇記》三書爲底本，補正諸書之遺漏與其錯誤處，而以參照《蒙古寇記》之處爲多。該〈序〉文又謂：「凡可以見當時情狀者，巨細精粗，會粹無遺，寧過於繁蕪，不失於芟削也。但余素陋謏聞，家又乏鄴架，則承訛襲舛，亦所不得而免，聊以爲學者稽古之資云耳。」所以本書內容

之特色在於蒐集史實，與夫對那些史實的嚴密考訂，且有稱揚幕府執權北條時宗之處。

㉑：重野安繹監修，山田安榮編纂，《伏敵編》，此爲元軍東征日本史料集之翹楚而無出其右者。所紀時間始自龜山天皇文應元年（一二六〇），迄於後花園天皇嘉吉三年（一四四三）。內容則從蒙古、高麗兩國之交涉開始，言及甲戌（文永）、辛巳（弘安）年間元、日兩國軍隊在日本九州北部海域交戰之始末，與應永二十六年（一四一九）朝鮮之出兵攻擊日本（己亥東征），以及其防禦、戰鬥之事。其有關日本朝廷、幕府之對外關係的重要事項亦逐一錄列，而直到室町幕府足利義教於明宣宗宣德年間，向明朝復貢爲止，凡一百八十五年。體例則兼採史料體裁，首擧綱文，次立月次而臚列其所引用諸書。並且在日本紀年之下分擧中韓兩國之年號，俾便對照。所引用之日文書凡三九三部，外國書七十六部，共四六九部。如據本書〈凡例〉所紀，則其所收錄史料之多數「大抵出自史官之採討。」「卷首目錄中所列擧之書多係史局之所典藏。」至其所編纂者，則是將前擧江戶時代以前的相關著作作批判的繼承，並充分斟酌、檢討它們所完成的程度以後，方纔完成本書。而它引用最多者則爲《蒙古寇記》。至於編纂本書之思想的性格，則如山田在其〈凡例〉中所謂：「國家之疾，莫重於敵國外患，而國家所維持之藥石，亦以敵國外患爲尤著。自日本奠制以來，雖有風魚之警，但大敵之侵略，則無出蒙古之右。而掃蕩此外敵者，實爲盡其職責之幕府與其所屬之將士。惟當時外患僅來自一方而易於防禦，目前（明治二十四年，一八九一）則四表八通，萬里比鄰，寰宇之大，事變之多，將來未必不出忽必烈第二。故居安思危乃治國之大經。及今之時，海國賴必勝之形勢，鑒先皇經紀之跡，發義勇，扶元氣，講禦侮之道，戰守之失，誰曰無謀？此編撰述之意本此。」而廣橋賢光亦在〈序〉中謂：「覽者能以古稽今，鑒禦侮之道，發敵愾之氣，使日本永爲金甌無缺之國家，是爲撰本書之意。」亦即作者編纂此書之目的在於希望振興其國民的愛國情操，

亦即其攘夷思想與軍國主義思想之表現。

㉒：柏原昌三，〈日元貿易の研究〉（《史學雜誌》，第二十五編第三號，一九一四年三月）

㉓：柏原昌三，〈蒙苦襲來の一批判〉（《歷史と地理》，第十卷第二～四號，一九二二年八～十月）。後來被收錄於《鎌倉時代の研究》（東京，星野書店，一九二五年一月）。

㉔：八代國治，〈蒙古襲來に就ての研究〉（《史學雜誌》，第二十九篇第一號，一九一八年一月）。收錄於東京，吉川弘文館刊行之《國史叢說》，一九二五年五月）。

㉕：山口修，〈元寇の研究──合戰篇〉（《東洋學報》，第四十三卷第四號，一九六一年十二月）。

㉖：中村榮孝，《日鮮關係史の研究》上（東京，吉川弘文館，一九六五年十月），頁一一三。

㉗：旗田巍，〈日本における東洋史學の傳統〉（《歷史學研究》，第二七〇號，一九六二年十一月）。

㉘：相田三郎，《蒙古襲來の研究》（東京，吉川弘文館，一九五八年二月。增補版刊行於一九八二年九月）。

㉙：御家人（Gokenin），日本鎌倉時代（一一八五）幕府將軍的家臣尊重其將軍而自稱為「御家人」，故乃成為一般人士對他們的稱呼。將軍承認他們既得的土地所有權，他們則為報答此一恩惠而擔任衛戍京都、幕府等工作──大番役。他們以出身關東者居多。在江戶時代（一六〇三～一八六七），則其最高年俸為稻米二六〇石，最低為銀子四兩及支眷屬一人之津貼。

㉚：《日本學研究》元寇の役特輯號（《日本學研究》，第一卷第九號，一九四二年九月）。

㉛：長沼賢海，《日本文化史の研究》（東京，教育研究會，一九三七年）。

㉜：青山公亮，《日麗交涉史の研究》（明治大學文學部研究報告，東洋史，第三，一九五五年八月）。

㉝：石原道博，〈元代日本観の一側面〉，收錄於《和田博士還曆記念東洋史論叢》（東京，講談社，一九五一年十一月）。
㉞：叢林，又稱禪林、旃壇林，樹林叢聚之林的意思。僧衆和睦住居一處，有如樹林之靜寂。
㉟：黎光明，《嘉靖禦倭主客軍考》（《燕京學報》，專號四，一九三三年）。
㊱：《明史》卷九〇，〈兵志〉二，〈衛所〉條。
㊲：陳懋恆，《明代倭寇考略》（《燕京學報》，專號六，一九三三年）。
㊳：張維華，《明代海外貿易簡論》（上海，上海人民出版社，一九五六年十二月）。
㊴：陳文石，《明洪武嘉靖間的海禁政策》（臺北，臺灣大學文學院，一九六六年八月。臺大文史叢刊之二十）。
㊵：鄭樑生，《明史日本傳正補》（臺北，文史哲出版社，一九八一年四月。文史哲學集成五十六）。
㊶：戴裔煊，《明代嘉隆年間的倭寇海盜與中國資本主義的萌芽》（中國社會科學出版社，一九八二年七月）。
㊷：鄭樑生，《元明時代東傳日本的文獻》（臺北，文史哲出版社，一九八四年八月）。
㊸：王振鵠，〈鄭樑生著《元明時代東傳日本的文獻》序〉，頁一。
㊹：卓克華，〈評《元明時代東傳日本的文獻》〉，收錄於《明史研究專刊》八（一九八五年十二月），頁二七八。
㊺：汪向榮，《中日關係史文獻論考》（長沙，中華書局，一九八五年二月）。
㊻：鄭樑生，《明代中日關係研究》（臺北，文史哲出版社，一九八五年三月）。日文版於同年一月，由東京，雄山閣發行。
㊼：田中正美，〈鄭樑生著《明代中日關係研究》序〉，頁一～三。

㊽：吳智和，〈評《明代中日關係研究——以明史日本傳所見幾個問題爲中心》〉，收錄於註44所舉《明史研究專刊》八，頁二八四～二八五。

㊾：鄭樑生，《元明時代東傳日本的水墨畫》（臺北，文史哲出版社，一九八六年六月）。

㊿：林仁川，《明末清初私人海上貿易》（上海華東師範大學出版部出版，新華書店發行，一九八七年四月）。

(51)：汪向榮，《明史日本傳箋證》（成都，巴蜀書舍，一九八八年三月）。

(52)：鄭樑生，《中日關係史研究論集》㈠（臺北，文史哲出版社，一九九〇年七月）。

(53)：鄭樑生，《中日關係史研究論集》㈡（臺北，文史哲出版社，一九九二年一月）。

(54)：行宜（李獻璋），〈嘉靖大倭寇（在日海賊）——明代漢奸の資料的素描〉（《華僑生活》，第二卷八號、第三卷春季號，一九六三年十月～一九六四年三月）。

(55)：李獻璋，〈嘉靖海寇徐海行蹟考〉，收錄於《石田博士頌壽記念東洋史論叢》（石田博士古稀記念會，一九六五年八月）。

(56)：陳文石，〈明嘉靖年間浙福沿海寇亂與私販貿易的關係〉（《史語所集刊》，第三十六本，紀念董作賓翁同龢兩先生論文集，上，一九六五年十二月）。

(57)：李洵，〈公元十六世紀的中國海盜〉（一九八一年）。

(58)：林仁川，〈明代私人海上貿易商人與倭寇〉（一九八一年）。

(59)：陳抗生，〈嘉靖倭寇探實〉（一九八四年）。

(60)：王儀，《明代平倭史實》（臺北，臺灣中華書局，一九八四年三月）。

(61)：林麗秀，〈日本黃檗宗宗祖隱元禪師研究〉（一九八七年六月）。此係中國文化大學日本研究所碩士論文。

(62)：鄭樑生，〈明永樂年間的中日貢舶貿易〉，收錄於《國史釋論》上（陶希聖先生九秩榮慶祝壽論文集，一九八七年十一月）。

(63)：鄭樑生，〈嘉靖年間明廷對日本貢使策彥周良的處置始末〉（《漢學研究》，第六卷第二期，一九八八年十二月）。

(64)：鄭樑生，〈明萬曆年間朝鮮哨報倭倩始末〉（《淡江史學》，創刊號，一九八九年六月）。

(65)：鄭樑生，〈日本五山禪僧對《中庸》的理解及其發展〉收錄於《中央圖書館館刊》，新第二十四卷第一期，（臺北，國立中央圖書館，一九九一年六月）。

(66)：鄭樑生，〈《論語》研究在日本〉，已於一九九一年六月在臺北召開之「第六屆中國域外漢籍國際學術會議」中發表。

(67)：鄭樑生，〈明隆慶初右僉都御史塗澤民議開海禁的貢獻蠡測〉，已於一九九一年十一月在香港中文大學召開之「明末清初華南歷史人物功業研討會」中發表。

(68)：鄭樑生，〈明嘉靖間浙江巡撫朱紈執行海禁始末〉，收錄於《第二屆國際華學研究會議論文集》（臺北，中國文化大學出版部，一九九二年五月）。

(69)：鄭樑生，〈日本五山禪僧對《論語》的理解及其發展〉，已於一九九二年五月在東京召開之「第七屆中國域外漢籍國際學術會議」中發表。

(70)：鄭樑生，〈王忬與靖倭之役〉，收錄於《淡江史學》，第四期（淡水，淡江大學歷史學系，一九九二年六月）。

(71)：鄭樑生，〈明代中日兩國外交管窺〉收錄於《第二屆中外關係史國際學術研討會論文集》（淡水，淡江大學歷史學系，一九九二年九月）。

⑫：鄭樑生，〈壬辰之役始末〉收錄於（《歷史月刊》，第五十九期，臺北，歷史月刊社，一九九二年十二月）。

⑬：鄭樑生，〈張經與王江涇之役〉，收錄於（《漢學研究》，第十卷第二期，臺北，漢學研究中心，一九九二年十二月）。

⑭：柏原昌三，〈日明勘合貿易に於ける細川大內二氏の抗爭〉（《史學雜誌》，第二十五編第十號；第二十六編第二、三號，一九一四年十月～一九一五年三月）。

⑮：小葉田淳，《中世日支通交貿易史の研究》（東京，刀江書院，一九四一年十月）。

⑯：秋山謙藏，《日支交涉史研究》（東京，岩波書店，一九二九年四月）。

⑰：竹越與三郎，《倭寇記》（東京，白揚社，一九三九年二月）。

⑱：石原道博，《明末淸初日本乞師の研究》（東京，富山房，一九四五年十一月）。

⑲：牧田諦亮，《策彥入明記の研究》上、下（京都，法藏館，一九五九年三月）。

⑳：田中健夫，《中世海外交涉史の研究》（東京，東京大學出版會，一九五九年十月）。

㉑：田中健夫，《倭寇と勘合貿易》（東京，至文堂。日本歷史新書八十一，一九六一年九月）。

㉒：田中健夫，《中世對外關係史》（東京，東京大學出版會，一九七五年四月）。

㉓：田中健夫，《對外關係と文化交流》（東京，雄山閣，一九八二年十一月）。

㉔：田中健夫，《倭寇》（東京，教育社，一九八二年二月）。

㉕：佐久間重男，〈日明關係史の研究〉（東京，吉川弘文館，一九九二年二月）。

86：魏榮吉，〈東アジア交渉史研究における若干の問題について——元・日本・高麗の場合〉（一九八八年六月）。
請參看王民信，〈高麗王氏的婚姻問題分析〉（收錄於《韓國學報》，第三期，一九八三年十二月）。

87：魏榮吉，註86論文。

88：請參看註⑬所舉蕭啓慶之論文。

89：龍肅，《蒙古襲來》（東京，至文堂，一九六六年十一月）。

90：太田弘毅，〈文永・弘安の役における元軍の水と糧食問題〉（《軍事史學》，第十一卷第一號，一九七五年六月）。

91：請參看谷信一，《室町時代美術史論》（東京，東京堂，一九四二年八月）。

92：鄭樑生，〈方志之倭寇史料〉（《漢學研究》，第三卷第二期，方志學國際研討會論文專號，第二。臺北，漢學研究中心，一九七五年十二月）。已收錄於註52所舉《中日關係史研究論集》(一)。

93：請參看鄭樑生，註63所舉論文。

94：請參看鄭樑生，〈佚存日本的朱中丞甓餘雜集〉，收錄於《第四屆中國域外漢籍國際學術會議論文集》（台北，國學文獻館，一九九一年八月）。

95：鄭樑生，〈佚存日本的全浙兵制考〉收錄於《中央圖書館館刊》，新第二十二卷第二期，（臺北，國立中央圖書館，一九八九年六月），本文已對此書作詳細的介紹。

國立中央圖書館出版品預行編目資料

中日關係史研究論集. 三 / 鄭樑生著. -- 初版
-- 臺北市: 文史哲, 民８２
4,210面 ; 21公分. -- (文史哲學集成 ; 279)
ISBN 957-547-196-2(平裝) NT$ 180

1. 中國 - 文化關係 - 日本

630　　82001219